DETETIVES DO

DNA

Anna Meyer

DETETIVES DO DNA

Tradução de
RYTA VINAGRE

Revisão técnica de
MARIA DAS GRAÇAS DE LUNA

EDITORA RECORD
RIO DE JANEIRO • SÃO PAULO
2008

CIP-Brasil. Catalogação-na-fonte
Sindicato Nacional dos Editores de Livros, RJ.

M559d

Meyer, Anna, 1976-
Detetives do DNA / Anna Meyer; [tradução Ryta Vinagre]. – Rio de Janeiro: Record, 2008.

Tradução de: Hunting the double helix
Inclui bibliografia e índice
ISBN 978-85-01-07796-7

1. Ácido desoxirribonucleico. 2. Impressões digitais do DNA. I. Título.

08-2784

CDD – 572.86
CDU – 577.213.3

Título original em inglês:
HUNTING THE DOUBLE HELIX

EDITORA RECORD LTDA.
Rua Argentina 171 – Rio de Janeiro, RJ – 20921-380 – Tel.: 2585-2000

Impresso no Brasil

ISBN 978-85-01-07796-7

PEDIDOS PELO REEMBOLSO POSTAL
Caixa Postal 23.052
Rio de Janeiro, RJ – 20922-970

Para meu avô,
Alexander Park Gregg
Um verdadeiro cavalheiro da ciência

Sumário

Agradecimentos

Para começar, agradeço sinceramente a todos da Allen & Unwin que tiveram participação neste livro, em especial a Ian Bowring, Emma Cotter e Angela Handley. Os incríveis conselhos e o apoio contínuo que me deram foram inestimáveis.

Agradeço muito pela assistência dos especialistas em DNA antigo que generosamente me forneceram informações e leram rascunhos dos capítulos. Em particular, gostaria de agradecer a Jean-Jacques Cassiman, Adrian Gibbs, Arthur Aufderheide e David Lambert.

Agradeço imensamente a meus orientadores de doutorado do Centro de Consciência Pública da Ciência da Universidade Nacional da Austrália, Sue Stocklmayer e Chris Bryant, por seu apoio e participação neste projeto. Também reconheço com gratidão o apoio de uma bolsa de doutorado da universidade enquanto trabalhava neste projeto.

Minha mais profunda gratidão a meu marido, Andrew Dickson, por seu apoio e estímulo resolutos, lendo intermináveis rascunhos e, sobretudo, acreditando em mim. Obrigada também aos demais familiares por me darem todo apoio e encorajamento — ninguém desejaria mais do que isso. Por fim, obrigada a meu cão Sweep, meu companheiro constante e fiel em todo o processo de redação deste livro.

INTRODUÇÃO
Começa a busca

Há alguns anos, eu estava em minha sala na universidade, de manhã, atarefada com fotocópias de uma pilha de enfadonhos artigos científicos. Ao ouvir um barulho do lado de fora da sala, dei uma olhada e me encontrei diante de uma visão bem incomum. Andando a passo acelerado pelo corredor na minha direção havia um homem alto e magro, com um cabelo castanho desgrenhado na altura dos ombros e uma expressão ansiosa e um tanto enlouquecida. Na mão, trazia um pequeno saco plástico, contendo um pequeno pássaro, um tanto esmagado e bem morto. "É um passarinho no saco!", anunciava ele entusiasmado, declarando o óbvio, antes de virar no outro corredor e desaparecer no laboratório de genética.

"O que era aquilo?", pensei comigo mesma. Fiquei intrigada com esse estranho carregador de passarinho e curiosa para saber exatamente o que ele pretendia fazer em um laboratório de genética com uma ave esmagada. Era de longe a coisa mais interessante que eu vira o dia todo. Perguntei a meu orientador, David, quem ele era.

— Este é Alan Cooper — respondeu David. — Ele pesquisa DNA antigo na Universidade de Oxford e está aqui hoje para fazer uns experimentos com esse passarinho.

— Ah, sim — respondi, ainda sem entender nada. Eu não fazia a menor idéia do que era a pesquisa de DNA antigo, mas não queria admitir isso.

Quando chegou a hora de escolher um tema para o ensaio que tinha de escrever para um de meus cursos de pós-graduação em genética, fiquei pensando no assunto por séculos, mas não me ocorreu nenhuma idéia. Eu nada sabia sobre DNA antigo, mas parecia interessante, então refleti: "Por que não?" — e decidi escrever sobre isso.

Aproveitando a oportunidade, encurralei Alan quando ele voltava pelo corredor e perguntei se ele me contaria um pouco sobre a pesquisa de DNA antigo.

— Eu estava justamente saindo para almoçar — disse ele —, venha comigo e vou contar a você do que se trata.

— Ótimo! — respondi. Durante um almoço apressado, Alan explicou o básico da pesquisa de DNA antigo e eu fui fisgada de imediato. Era de fato espantoso.

O básico do DNA

Antes de falar sobre DNA antigo, eis aqui um resumo de algumas informações importantes relacionadas com o DNA. Os seres humanos, e na verdade os seres vivos em geral, nada mais são do que um enorme conjunto de um número quase inimaginável de células microscópicas distintas, todas tra-

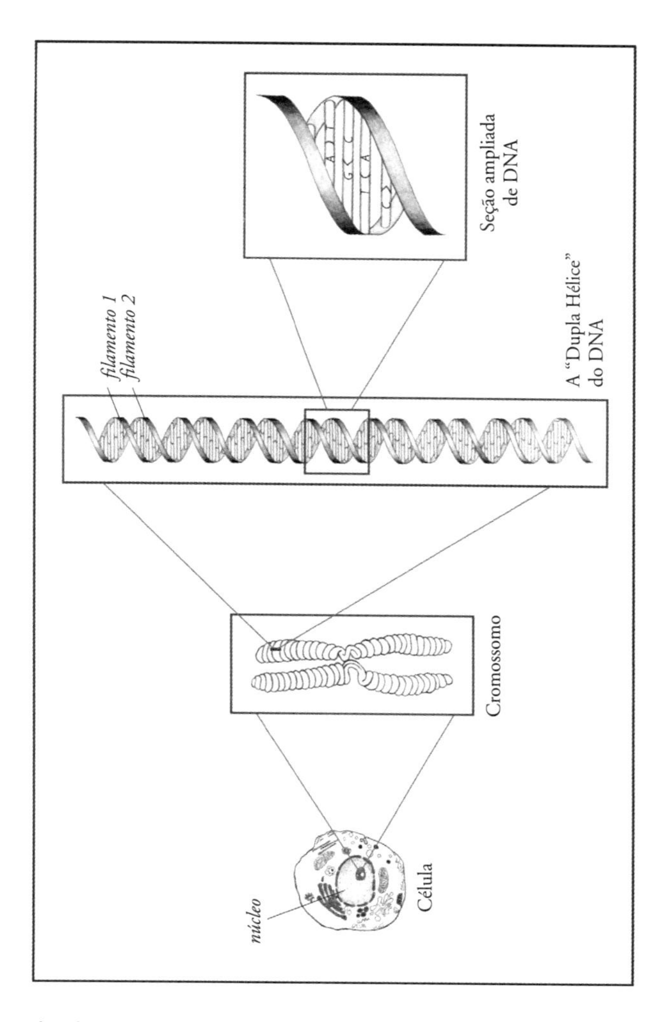

O núcleo da célula contém vários cromossomos e cada um deles consiste em uma molécula longa e enroscada de DNA. O DNA existe na forma de uma "dupla hélice", com dois filamentos pareados um em volta do outro. Um filamento consiste numa seqüência de quatro bases: adenina (A), timina (T), guanina (G) e citosina (C). Na dupla hélice, A sempre pareia com T e G sempre pareia com C. O DNA pode ser obtido de quase todas as células.

balhando em cooperação para produzir um indivíduo único e singular.

Dentro de quase todas as células existe um compartimento especializado, o núcleo, que contém um conjunto de pequenas estruturas densas, os cromossomos. Cada espécie tem um número característico de cromossomos por célula — nos seres humanos, por exemplo, são 46.

Cada cromossomo em um núcleo celular, por sua vez, consiste em uma molécula longa, semelhante a um fio, de ácido desoxirribonucléico (DNA), que é enrolado e comprimido, dando ao cromossomo seu formato característico.

Cada célula de um indivíduo porta uma cópia idêntica do conjunto de cromossomos. Isso significa que podem ser encontradas cópias do DNA de um indivíduo em quase todo tipo de tecido vivo em seu corpo.

Existem duas características do DNA que o tornam importante para o organismo vivo. A primeira é que o DNA determina ou influencia muitos aspectos da aparência, do comportamento e do funcionamento do organismo. Um grande número de unidades chamadas genes é encontrado em cada filamento de DNA. Cada gene é usado para determinar uma característica em particular, ou parte de uma característica. É um processo bastante complexo, mas, para nossos propósitos, basta saber que existem dezenas de milhares de genes em cada grupo de cromossomos de um indivíduo, que podem interagir em uma multiplicidade de maneiras e influenciar diferentes aspectos desse indivíduo.

Para aumentar a complexidade, alguns genes têm várias formas diferentes, e cada uma leva a uma variação em determinada característica, por exemplo, a cor dos olhos. Algumas características — como o peso — são influenciadas por mais de um gene, bem como por fatores ambientais, como a alimentação.

A segunda característica importante do DNA é que ele é herdado. No momento da concepção, cada genitor transmite parte de seu DNA ao descendente, e é por meio desse mecanismo que o descendente se assemelha a uma mistura única dos pais. O DNA, então, tem um envolvimento enorme e complexo não apenas em fazer de nós o que somos, mas também na determinação de como serão nossos descendentes.

Devido a esse papel no organismo vivo e na hereditariedade, o DNA é de grande interesse em uma ampla variedade de campos da ciência. Para citar alguns, o estudo do DNA pode ser usado para examinar aspectos de como funcionam os organismos vivos, as relações evolutivas entre espécies, como ocorrem as doenças hereditárias e, mais recentemente, a produção de organismos geneticamente modificados.

A extração do DNA

A obtenção do DNA de organismos vivos para fins de estudo é um processo bem simples e essencialmente o mesmo para qualquer material biológico. Primeiro obtém-se uma amostra do organismo. Devido a sua ubiqüidade nos tecidos vivos, o DNA pode ser extraído de quase qualquer parte de uma planta ou animal, inclusive pele, pêlos ou cabelos, sangue, ossos, dentes, sementes, folhas, insetos, fungos e até de colônias bacterianas. A lista é interminável. A amostra é triturada para que todas as células sejam separadas, e são acrescentadas substâncias químicas — basicamente detergente, enzimas e álcool —, que separam o DNA das outras partes da amostra. Depois desse processo, o DNA é posto em um tubo de ensaio, numa forma relativamente pura, pronto para estudos posteriores. É estranho que uma molécula tão importante como o DNA, quando purificado, não seja lá muito espetacular de se olhar: é um material esbranquiçado, parecido com fios, que pode ser pescado e enrolado em um bastão de vidro — um motivo comum, embora um tanto fora de moda, de diversão para alunos de graduação em genética em suas aulas práticas de laboratório.

O que acontece em seguida com o DNA extraído depende do objetivo de cada experimento. Às vezes, o passo seguinte envolve o uso de enzimas para cortar o DNA em pedaços grandes porém manejáveis, que podem ser analisados posteriormente. Em geral, porém, só uma pequena parte de todo o genoma do organismo (todo o conjunto de DNA contido em todos os cromossomos de uma célula) é de interesse em determinado estudo, e assim são feitas cópias dessas partes (com o uso de um processo que explicarei melhor adiante). Podemos fazer cópias de um ou mais genes, que efetivamente separamos do resto do DNA. Essas seções copiadas podem ser depois estudadas em detalhes; por exemplo, podem ser comparadas com as seções equivalentes de DNA proveniente de uma espécie diferente para dar uma idéia da proximidade entre as duas espécies, ou podem ser usadas para aprendermos mais sobre o funcionamento de cada gene.

DNA antigo

A extração e o estudo do DNA de tecidos vivos é uma disciplina científica estabelecida. Só recentemente se descobriu, porém, que o DNA pode ser encontrado não só em organismos vivos, mas também nos remanescentes de organismos *que não vivem há bastante tempo.* Logo essa descoberta extraordinária levou à criação de uma disciplina científica inteiramente nova — o estudo do DNA antigo.

O campo da pesquisa do DNA antigo envolve o estudo de qualquer DNA que ainda exista no que resta de organismos que um dia viveram na Terra. Como uma janela para o passado distante, descobriu-se DNA antigo em toda uma variedade de organismos mortos em épocas que variam de cem anos atrás — como o extinto tilacino australiano (comumente conhecido como tigre-da-tasmânia) e o moa neozelandês — a dezenas de milhares de anos — como, por exemplo, os neandertais e mamutes lanudos.

O fato de o DNA poder sobreviver por tanto tempo é, em si, muito surpreendente. Mas há muito mais além disso. Pelo estudo detalhado do DNA antigo, foram feitas as descobertas mais incríveis. O DNA antigo é uma tecnologia relativamente recente, e a pesquisa no campo só começou em meados da década de 1980. Todavia, já evoluiu para todo um banquete de histórias deliciosas. São histórias de assassinato, doenças fatais, desaparecimentos misteriosos, animais que foram extintos há muito tempo e até descobertas sobre as origens humanas.

Graças a Alan, eu tinha material mais do que suficiente para meu ensaio. Alan voltou a seu laboratório de DNA antigo na Universidade de Oxford e eu quase me esqueci do DNA antigo por alguns anos.

Quase, mas não totalmente. O conceito me fascinara tanto que ficou em algum lugar no fundo da minha mente, e eu não conseguia deixar de pensar nele de vez em quando. Não foi preciso muita reflexão para que eu decidisse escrever todo um livro sobre o DNA antigo quando surgiu a oportunidade há alguns anos.

Nos capítulos que se seguem, incluí as histórias por trás de algumas das mais interessantes descobertas no DNA antigo feitas até agora. Espero que, quando terminar de ler, você fique tão fisgado pelo DNA antigo quanto eu.

1

QUASE HUMANO

Seriam os neandertais nossos ancestrais?

Enquanto eu escrevia este capítulo, fiz a descoberta curiosa de que a gente pode viver com uma pessoa por anos sem perceber algum aspecto realmente surpreendente dela. Acho que é porque elas se tornam tão conhecidas que você deixa de olhar *realmente* para elas. E um dia, por um motivo qualquer, algo faz com que perceba aquela característica surpreendente, e a partir daí você não consegue deixar de se fixar nela.

Outra noite, eu estava sentada em meu sofá ao lado de meu marido, Andrew. Estávamos vendo televisão, nosso cachorro dormia satisfeito a nossos pés, as patas se agitando enquanto ele caçava bichinhos peludos em seu sono. Começou um intervalo comercial e eu me virei para Andrew para perguntar-lhe alguma coisa. Foi quando aconteceu: eu percebi que meu marido — que conheço a maior parte de minha vida e vejo praticamente todo dia desde que o conheci — tinha cristas de sobrancelhas *enormes*.

Quando eu passava a mão na minha testa, da linha dos cabelos até as sobrancelhas, meu crânio parecia liso, com apenas o mais leve montículo de osso se projetando do alto de minhas cavidades oculares, onde ficam as sobrancelhas. As sobrancelhas de Andrew, por sua vez, ficavam em uma crista óssea que sobressaía por sobre seus olhos como um penhasco se projetando na cara. Suas cristas de sobrancelhas eram tão grandes que chegavam a lançar sombras sobre os olhos e, com a luz certa, descendo pelas faces, eu nunca tinha percebido essas sobrancelhas monolíticas, mas essa noite em particular se seguia a um dia inteiro que passei lendo sobre neandertais, a raça extinta de parentes do homem cujo lugar no nosso passado evolutivo é tema deste capítulo.

Os neandertais são matéria de lenda. Um ícone da cultura popular, eles em geral são descritos — tudo leva a crer injustamente — como homens das cavernas primitivos e brutos, seminus, peludos, com uma expressão vazia, capazes de se comunicar com pouco mais do que grunhidos e gestos. O nome, com certeza, em várias ocasiões foi um insulto conveniente para lançar a algum familiar quando exibia parte de seu comportamento mais repulsivo.

Mas os neandertais são ícones também no mundo científico — por um motivo diferente. A descoberta do primeiro esqueleto de neandertal, em 1856, incitou um dos debates mais longos e mais acalorados da ciência moderna, entre aqueles que acreditavam que os neandertais são ancestrais humanos e os que pensavam inflexivelmente que são apenas um ramo extinto da árvore da evolução humana.

Apesar de muitas décadas de esforço, os cientistas quase perderam as esperanças de saber qual é o lugar dos neandertais na evolução humana. Mas então uma pesquisa extraordinária de DNA antigo foi realizada e revolucionou o modo como vemos os neandertais e a nossa própria espécie.

O motivo para que minha pesquisa com neandertais me levasse a perceber as sobrancelhas de Andrew eram óbvios, por ser este um traço particular que deu fama aos neandertais — suas enormes cristas de sobrancelhas. Combine minha leitura do dia com a luz fraca em nossa sala, lançando sombras em tudo, e as sobrancelhas ossudas de Andrew não tinham a menor chance de continuar despercebidas. O problema é que agora eu não consigo parar de olhá-las!

A descoberta do neandertal

Era um tranqüilo fim de dia de verão no vale de Neander, na Alemanha, em 1856. No vale, havia uma pedreira de calcário. Para os que trabalhavam ali, o dia começara de modo tão corriqueiro quanto qualquer outro. A equipe iniciara a tarefa de extrair material de duas grutas altas em um penhasco acima do rio Düssel, que serpenteia pelo vale abaixo. As grutas eram de alcance muito difícil, tanto de cima como de baixo, e assim foi a última coisa a ser tocada no vale.

Os trabalhadores começaram a escavar, mas pouco depois descobriram vários ossos. Havia um topo de crânio, alguns ossos da coxa, costelas, braço e ombro, e parte de uma pélvis. Os trabalhadores pensaram que talvez fossem os restos de um urso-das-cavernas.

Pensando que os ossos podiam ser de algum interesse, eles decidiram entregá-los ao especialista local, Carl Fuhlrott. Fuhlrott era professor de matemática da escola da região, mas também conhecido na área por seu interesse em história natural e sua coleção de "curiosidades".

Fuhlrott ficou emocionado com os ossos de perna, grossos e curvos, e as cristas de sobrancelhas protuberantes do crânio e imediatamente percebeu que não eram ossos de urso-das-cavernas. Teve a idéia radical de que podiam pertencer a um tipo primitivo de ser humano. Essa era uma hipótese ousada, considerando a visão das origens humanas que prevalecia na Europa naquela época.

Em 1856, quando o esqueleto foi descoberto, as crenças européias nas origens do ser humano se baseavam quase inteiramente na tradição teológica. Isso estava em conformidade com a maioria das outras culturas do planeta, que tradicionalmente entendem que as origens humanas envolvem um deus ou um ser superior. A Igreja cristã ensinava que os seres humanos foram criados por Deus à sua própria imagem poucos milhares de anos antes. O homem fora estabelecido por Deus como o chefe de uma "grande cadeia de seres", e era seguido nessa cadeia por todas as outras formas "inferiores" de vida na Terra, inclusive animais, plantas e insetos. Os seres humanos eram as únicas criaturas que acreditavam ter uma alma.

A maioria das pessoas na época não estava convicta da evolução, o processo pelo qual uma espécie ou raça muda gradualmente com o passar do tempo, assumindo uma ou mais formas diferentes. Na realidade, os ensinamentos da Igreja declaravam especificamente que a espécie não mudou com o tempo, que ela era a mesma desde que foi criada. A maioria certamente não pensava que a evolução se aplicava aos seres humanos — a própria idéia era despropositada.

Com efeito, não havia um motivo convincente na época para acreditar em qualquer coisa que diferisse da doutrina da Igreja. Antes que o esqueleto incomum fosse descoberto no vale de Neander, nenhuma espécie ancestral humana fora de fato reconhecida, embora alguns fósseis de aparência suspeita tenham sido encontrados. Assim, não havia indício real de que os seres humanos tinham sido diferentes do que eram hoje, nem havia uma teoria sólida e cientificamente rigorosa da evolução. É inacreditável que o esqueleto tenha sido descoberto somente três anos antes de Charles Darwin publicar sua revolucionária teoria da seleção natural, que em si mudaria completamente o modo como muitos pensavam nas origens de todas as espécies da Terra, inclusive a humana.

Não quero com isso dizer que ninguém chegou a pensar na evolução antes de Darwin. Várias teorias da evolução foram propostas ao longo da história, a primeira remontando à Grécia antiga, cerca de 2.500 anos atrás. A maior parte dessas primeiras idéias evolutivas, porém, era "científica" apenas em parte e entremeada de reflexões míticas e religiosas.

Bem antes do século XIX, a ciência que conhecemos hoje começou a se desenvolver. Mas as idéias evolutivas não apareciam na nova disciplina da "história natural", o estudo do mundo natural. Em seus primórdios, a ciência era intimamente entrelaçada com a religião, e o estudo da natureza era realizado principalmente com o propósito de aprender mais sobre o complexo projeto de Deus para as espécies que ele criou.

Em 1856, a visão religiosa estrita estava sendo contestada por parte do mundo científico, e as primeiras indicações sugeriam que as espécies podiam mudar com o passar do tempo. Prova disso era a gama de fósseis descobertos, inclusive enormes dinossauros e outras formas de vida antes desconhecidas.

Nos anos anteriores à publicação da teoria revolucionária de Darwin, foram sugeridas várias teorias alternativas da evolução. Cada uma delas, no entanto, tinha seus problemas. Algumas não podiam ser testadas cientificamente e outras se mostraram falsas quando submetidas ao teste científico. A maioria era apoiada apenas por um número limitado de especialistas. A realidade é que, quando foi descoberto o esqueleto do vale de Neander, alguns integrantes da comunidade científica estavam começando a pensar a sério na possibilidade da evolução, mas a grande maioria ainda seguia rigidamente os ensinamentos religiosos da criação. Até os que suspeitavam de que algumas espécies tinham mudado com o tempo certamente não acreditavam que o homem estivesse nessa categoria.

Assim, quando sugeriu que um esqueleto com diferenças tão evidentes em relação ao ser humano moderno podia ser uma espécie de ancestral humano, e portanto que o homem podia ter mudado com o passar do tempo, Fuhlrott se mostrou um pensador revolucionário. Fuhlrott ficou tão intrigado com a idéia que procurou Hermann Schaafhausen, professor de anatomia na Universidade de Bonn, próxima dali, para que ele desse uma opinião sobre os ossos. Schaafhausen concordou com a sugestão de Fuhlrott de que o esqueleto pertencia a um tipo primitivo de homem. Schaafhausen pensou que talvez viesse de uma raça de povos ancestrais dos celtas e alemães.

Juntos, Schaafhausen e Fuhlrott apresentaram sua hipótese em uma reunião da Sociedade de Medicina e História Natural do Baixo Reno, em Bonn, e com isso teve início o grande debate sobre os neandertais.

O grande debate sobre os neandertais

À luz da visão das origens humanas reconhecida na época, não surpreende que o esqueleto, com seus traços incomuns, e a avaliação que Schaafhausen e Fuhlrott fizeram dele, tenha causado muita agitação.

O esqueleto apareceu em um mundo científico dividido sobre as questões da evolução, e no princípio só ajudou a destacar as diferenças de opinião. Na época, não havia um método confiável para determinar a idade dos ossos, e assim o esqueleto não passava de conjecturas pessoais.

Por outro lado, os que já tendiam para as idéias evolutivas acreditaram que o esqueleto era muito antigo e concordaram ansiosamente que tinham encontrado a primeira prova de que o homem mudava com o passar do tempo — em outras palavras, evoluía —, assim como achavam que acontecia com outras espécies. Outros não ficaram tão convencidos. Pensavam que o esqueleto era de origem bem recente e pertencera a um indivíduo que sofrera de alguma variedade de deformidade física em vida, talvez devido a uma doença grave como o raquitismo.

Uma das sugestões mais curiosas apresentadas na época foi a de que os ossos haviam pertencido a um cossaco russo, que morrera quando se abrigava na caverna para se esconder de um exército que se aproximava. Ele tinha pernas curvadas porque passara anos cavalgando, e suas cristas de sobrancelhas enormes se deviam ao fato de constantemente franzir o cenho, uma reação ao estresse intenso. Ninguém jamais explicou como exatamente ele foi se abrigar numa caverna a 18 metros da face de um penhasco, completamente nu e sem armamento.

Esperando dar um fim àquela discussão de uma vez por todas, Rudolf Virchow, anatomista e patologista alemão, realizou uma análise completa dos ossos. Virchow era uma figura proeminente na ciência alemã, mas por acaso tinha uma forte aversão à idéia da evolução. Talvez não surpreenda que tenha concluído que o esqueleto não era antigo. Em vez disso, manifestou-se, o aspecto dos ossos na verdade se devia a uma forma de doença. Ele sugeriu, como outros antes dele, que a pessoa a que pertencera o esqueleto sofrera de raquitismo quando criança, o que explicava as pernas tortas. As grandes cristas de sobrancelhas, concluiu, foram causadas por sucessivos golpes na cabeça.

Como resultado da análise de Virchow, muitos especialistas, na época, passaram a admitir que a visão atraente de nosso passado evolutivo proposta pelo esqueleto era imaginária — o esqueleto nada mais era do que um infeliz que morrera havia pouco tempo, que devia ter suportado uma vida de muita dor e sofrimento.

Isso poderia explicar um esqueleto de aparência estranha, mas não demorou muito para que entusiastas de fósseis começassem a descobrir esqueletos com as mesmas características incomuns em uma ampla gama de locais espalhados pela Europa e a Ásia ocidental — e a reavaliar algumas descobertas anteriores. Alguns foram encontrados com ferramentas de pedra e os restos mortais de animais extintos, o primeiro indício sólido de que os próprios esqueletos podiam ser antigos.

A idéia de que as grandes cristas de sobrancelhas e os membros curvos e pesados, agora vistos constantemente, podiam se dever a uma doença começava a parecer muito improvável. O que quer que fossem, ficou óbvio que esses estranhos seres tinham formado uma população significativa em alguma época na história dessa região do mundo. Eles chegaram a receber um nome, "neandertais", por causa do vale de Neander, onde fora encontrado o primeiro esqueleto identificado.

Em 1859, a causa do neandertal recebera um impulso com a publicação do famoso livro de Darwin, *A origem das espécies*, em que ele delineava sua teoria revolucionária da evolução pela seleção natural. Talvez não surpreenda que as idéias "heréticas" de Darwin logo tenham encontrado uma forte oposição, em especial na comunidade religiosa. Porém, ele também tinha defensores influentes. O resultado foi uma série de debates ferozes, e a evolução se tornou um tema muito popular de discussão na sociedade. O resultado definitivo foi que, embora a idéia da evolução continuasse um anátema para muitos, uma porcentagem muito maior da população começava a aceitar a possibilidade de que não só as plantas e animais tivessem evoluído, mas também o ser humano.

Os especialistas em neandertais do século XIX ainda consideravam seu objeto de estudo homens das cavernas primitivos e brutos, muito inferiores, em todos os aspectos, ao homem moderno. Mas à luz dos esmagadores indícios, logo foram obrigados a concordar que os neandertais eram uma raça significativa de pessoas surgida na pré-história humana. Mas muitas perguntas ainda não tinham resposta. De onde vieram? Por que desapareceram de repente? Como foram os ancestrais diretos dos europeus modernos? Ou não passavam de uma ramificação da árvore evolutiva humana, uma raça condenada à extinção?

Eram perguntas verdadeiramente intrigantes, e muita gente resolveu encontrar respostas para elas. À medida que se compreendia que o ser humano tinha de fato evoluído, a caça aos ancestrais humanos fossilizados entrou na moda e resultou num quase frenesi de escavações. Os segredos do passado da humanidade, ocultos por tanto tempo no interior da terra, estavam prestes a ser revelados.

Mais descobertas: o Homo erectus

O fuçar dos fósseis começou para valer, e outros restos neandertais foram logo descobertos, aumentando a crescente abundância de conhecimento sobre essa raça intrigante. Ainda mais interessante, porém, os caçadores de fósseis começaram a descobrir restos mortais de vários outros ancestrais humanos desconhecidos. Logo ficou óbvio que o ser humano, como espécie, tinha uma árvore genealógica rica e complexa. Em todo o mundo, começavam a surgir as peças espalhadas do quebra-cabeça da evolução humana.

O próximo ancestral humano a ser descoberto mostrou ter um importante papel no drama do neandertal. O holandês Eugene Dubois, cientista e entusiasta da evolução, começou uma expedição na década de 1890 para procurar ancestrais humanos na Indonésia. O motivo de pesquisar nessa parte do mundo era que pouco tempo antes foram encontrados fósseis de chimpanzé e orangotango na região. Como esses macacos antropomorfos são os parentes mais próximos do homem, Dubois pensou, logicamente, que fósseis de ancestrais humanos também deviam estar localizados ali.

E por acaso ele estava certo. Depois de escavar em vários sítios sem nenhum sucesso, Dubois e sua equipe finalmente descobriram alguns fósseis bem extraordinários nas margens do rio Solo, em Java: restos de esqueleto que eram parecidos com os neandertais, com as mesmas cristas de sobrancelhas e ossatura robusta, mas com um cérebro perceptivelmente menor. Um parente ainda mais antigo do homem tinha sido encontrado. O novo ancestral foi batizado de *Homo erectus*, ou "homem ereto", e mais fósseis, parecidos com os de Java, logo foram descobertos em muitas outras regiões do mundo.

Além de ser um ancestral humano interessante por mérito próprio, o *Homo erectus* é particularmente importante para esta história porque se mostrou a chave para a *origem* dos neandertais. Com base nos indícios fósseis, acreditava-se que o *Homo erectus* evoluiu na África a partir de outro ancestral humano ainda mais antigo, pelo menos de 1,5 milhão de anos atrás. Assim como o ser humano moderno, o *Homo erectus* tornou-se um colonizador muito eficaz e por fim saiu da África, espalhando-se pela Ásia, Oriente Médio, Índia e Europa. Como se viu, o *Homo erectus* foi o primeiro parente do homem a viajar pelo mundo. Todos os outros ancestrais humanos — e foram bem poucos antes do aparecimento do *Homo erectus* — ficaram confinados ao continente africano.

Com o passar do tempo, os pesquisadores perceberam que os restos de *Homo erectus* descobertos em diferentes partes do mundo mostravam leves diferenças nas características do esqueleto. Havia muitas das pequenas variações que podem ser vistas nas pessoas de todo o mundo de hoje, mas estas eram ainda mais pronunciadas nas várias raças de *Homo erectus*. Essas diferenças "raciais" levam alguns pesquisadores a pensar que as raças de *Homo erectus* eram tão diferentes que podem ter sido espécies separadas, ao contrário do ser humano de hoje, que são todos membros de uma só espécie, o *Homo sapiens*.

E aqui está a chave para a origem dos neandertais. Os fósseis encontrados mostram claramente que eles evoluíram por volta de 300 mil anos atrás como descendentes de uma das raças de *Homo erectus* que viveram na Europa e no Oriente

Médio. Ainda se discute que raça exatamente deu origem aos neandertais, mas em essência a descoberta do *Homo erectus* resolveu parte do mistério dos neandertais — o mistério de sua origem.

O estilo de vida e a cultura neandertais

Junto com esse *insight* sobre suas origens, também começou a surgir um quadro detalhado sobre o estilo de vida neandertal: quando e onde viveram, bem como um vislumbre de como teria sido sua personalidade.

Sabemos agora que os neandertais eram um povo pré-histórico que viveu em uma área que se estendia pela Europa, Ásia ocidental e em partes do Oriente Médio. Surgiram de uma raça que descendia do *Homo erectus*, há cerca de 300 mil anos. Por milhares de anos, viveram nessa parte do mundo, mas cerca de 30 mil anos atrás desapareceram para sempre.

Os neandertais em geral são retratados como brutos, primitivos, rudes e vulgares, com músculos enormes, maneiras terríveis e uma inteligência muito baixa. Em geral são mostrados na postura inclinada, como se fossem estúpidos demais para se içar a uma posição plenamente ereta. Por certo era o que pensavam seus descobridores, e essa percepção dos neandertais persistiu, ajudada por desenhos animados, livros e a opinião geral. Mas será que eles eram assim mesmo?

É verdade que os neandertais eram extremamente fortes: embora fossem um pouco mais baixos que os seres humanos, eles eram atarracados, com músculos grandes. Em especial, tinham enormes músculos nas mandíbulas, e devem ter tido uma mordedura poderosa. Na verdade, a principal diferença na aparência dos neandertais com relação ao homem moderno era o crânio. Os neandertais tinham uma cara grande, testas baixas e enormes cristas de sobrancelhas. Se você passar a mão no queixo, vai achar uma parte ossuda se projetando da base da mandíbula. Os neandertais não tinham isso, e é esse o motivo de seu queixo parecer recuado.

Mas não é verdade que tivessem uma postura inclinada. Esse mito é resultado de uma infeliz coincidência. Por acaso, o primeiro esqueleto de neandertal a ser examinado em detalhes era de um indivíduo que sofrera de uma doença debilitante durante a vida que resultou em uma aparência curvada, embora os pesquisadores não soubessem na época. Sem nenhuma base de comparação, os pesquisadores supuseram que todos os neandertais eram desse jeito, e, mesmo quando foram descobertos outros esqueletos que claramente não eram curvados, o mito persistiu.

Também não existem provas de que os neandertais eram mentalmente inferiores aos seres humanos de hoje. Na verdade, o cérebro do neandertal eram um pouco maior do que o nosso. Não há como ter certeza de como era o processo mental dos neandertais, mas o pressuposto de que "não eram lá muito inteligentes" provavelmente refletia o fato de que os europeus do século XIX em geral acreditavam que *qualquer um* que diferisse deles devia ser inferior. Mais uma vez, essa visão dos neandertais persistiu.

As ferramentas neandertais eram relativamente simples, e os neandertais não faziam ornamentos elaborados, pintu-

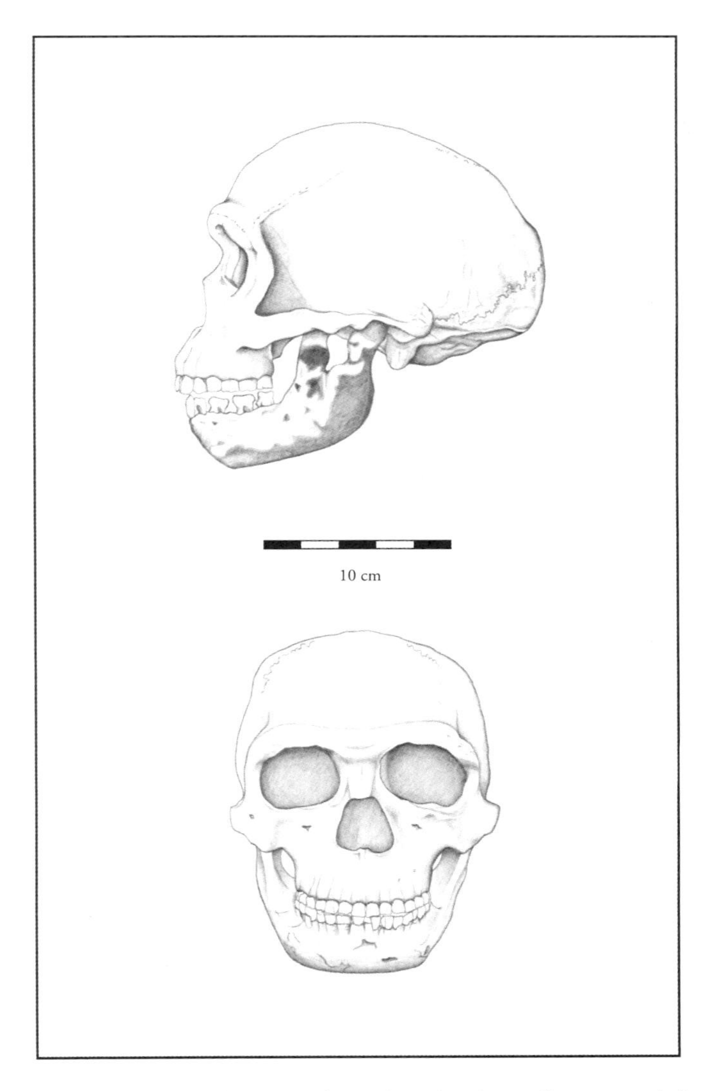

Um crânio de neandertal, mostrando as cristas de sobrancelhas características e a falta de queixo. Comparado com o homem moderno, o crânio é maior de trás para a frente e mais redondo nas laterais. O tamanho médio do cérebro neandertal era um pouco maior que o do homem.

ras em cavernas, nem jóias, como os homens pré-históricos — o que sempre foi considerado outra prova do cérebro inferior do neandertal. Mas recentemente se descobriu que os primeiros seres humanos, com cérebros desenvolvidos como o nosso, também não faziam nenhuma dessas coisas. Tais aspectos da cultura só começaram a se desenvolver quando a espécie humana já estava na terra havia algum tempo. As ferramentas neandertais simples e a falta de arte, antigamente consideradas um sinal de capacidade cerebral inferior, não podem portanto ser vistas dessa maneira.

Os neandertais tinham outra característica em geral considerada exclusivamente humana. Há indícios de que enterravam seus mortos, algo que nenhum animal, além do homem, demonstrou fazer. Isso indica que os neandertais podiam realmente se preocupar profundamente com o outro, o que está longe da visão tradicional de seu comportamento.

Em que se transformaram os neandertais?

Revelar o mistério da origem dos neandertais e aprender mais sobre seu estilo de vida, sua personalidade e sua distribuição se mostraram áreas interessantes e profícuas da pesquisa científica. Mas chegar a um consenso quanto ao que *aconteceu* com os neandertais tem se revelado muito mais difícil e controverso. Seriam eles ancestrais diretos dos europeus modernos, como sugeriram Fuhlrott e Schaafhausen? Teriam desaparecido do registro fóssil simplesmente porque se transformaram em homem? Ou eram primos distantes que se extinguiram sem deixar descendente?

Logo ficou evidente que seria extremamente problemático responder a essas perguntas aparentemente simples; desde o início, as idéias sobre o destino dos neandertais foram lançadas de um lado para outro em uma maré de controvérsia. O destino dos neandertais se tornou um dos debates científicos de maior permanência e um dos mais acalorados da história.

Com o passar do tempo, várias modas chegaram e foram embora: em um minuto os neandertais eram aclamados como os ancestrais da humanidade e, no seguinte, eram considerados apenas um primo extinto, um ramo que murchou e deu em lugar nenhum na árvore genealógica. Embora tentassem, os pesquisadores não conseguiam um consenso sobre o destino dos neandertais, nem sobre sua relação com os seres humanos modernos. Com o passar das décadas, houve constatações e o desenvolvimento de novos métodos de análise, mas isso em geral só acirrou o debate. O problema era o excesso de ambigüidade dos indícios disponíveis.

No final da década de 1980, depois de quase 150 anos de pesquisa e debates intensos, a questão do destino dos neandertais não estava próxima de uma solução. Formaram-se dois lados violentamente opostos na discussão, um convicto de que os neandertais eram os ancestrais humanos, o outro inflexível na crença de que não eram.

Mais debates sobre fósseis

A essa altura, os pesquisadores tinham à disposição não só uma profusão de fósseis, mas uma variedade de novos e inovadores métodos de datação — ferramentas que teriam sido inimagináveis aos primeiros entusiastas dos neandertais. Apesar disso, os dois grupos de pesquisadores estavam em confronto direto e feroz quanto às teorias da mesma forma que as gerações anteriores, pois os dois lados podiam ver no registro fóssil muitas provas que sustentavam *seu* lado da discussão.

Na vanguarda de um lado do moderno debate dos neandertais estava Chris Stringer, paleontólogo do Museu de História Natural de Londres. Stringer e seus defensores estavam bastante convictos de que, segundo os indícios fósseis, os neandertais não podiam ter sido ancestrais diretos do homem.

O grupo propunha um esquema para o destino dos neandertais que ficou conhecido como hipótese "Out of Africa", ou "para fora da África". A hipótese começa com a época pouco anterior à evolução do homem moderno, quando a Terra era povoada pelas várias raças descendentes do *Homo erectus*. É claro que os neandertais eram uma dessas raças. De acordo com o esquema de Stringer, cada raça tinha evoluído até diferir acentuadamente das outras — eram tão diferentes, na verdade, que cada uma formava uma espécie separada.

Stringer e seus colegas propuseram que o homem moderno evoluiu *somente na África*, surgindo como nova espécie a partir de apenas uma espécie descendente do *Homo erectus* que existira ali. Nas dezenas de milhares de anos que se seguiram, os seres humanos modernos se dispersaram pelo resto do mundo, substituindo todos os outros descendentes do *Homo erectus*, inclusive os neandertais. Como eram espécies distintas, não podia ocorrer cruzamento inter-racial entre os seres humanos invasores e outros descendentes do *Homo erectus*, o que significa que os neandertais, e quaisquer outros descendentes do *Homo erectus* fora da África, não eram, de forma alguma, ancestrais do homem.

Não está inteiramente claro como a conquista proposta pôde ter acontecido. Mas é possível que os primeiros seres humanos possam ter lutado e eliminado todas as raças de *Homo erectus*. Ou podem simplesmente ter vencido a competição por alimentos e recursos. Por azar, essa teoria tem um fim sombrio para os neandertais — eles simplesmente se extinguiram.

Stringer e colaboradores acreditavam que o registro fóssil fundamentava inteiramente sua teoria, mostrando uma diferença acentuada entre os esqueletos das várias raças de *Homo erectus* e o esqueleto do homem moderno, o que provava não ser possível que o *Homo erectus* tivesse se transformado no homem moderno na maioria das regiões do mundo. A única exceção, segundo Stringer, era a África, onde os fósseis de *Homo erectus* mostraram uma transição suave para o homem moderno, em perfeita concordância com sua teoria.

Em franca oposição a Stringer e seus colegas estava o grupo liderado por Milford Wolpoff, paleoantropólogo da Universidade de Michigan. Wolpoff e colegas tinham a firme convicção de que os neandertais *eram de fato* um dos ancestrais da espécie humana — e que tinham como provar isso.

A teoria de Wolpoff também começava pouco antes da evolução do homem, quando a Terra era povoada pelas várias raças descendentes do *Homo erectus*, inclusive os neandertais. Porém, em completo contraste com Stringer, para Wolpoff e colegas, todas as raças diferentes do *Homo erectus*, embora sutilmente diferentes entre si, ainda eram membros da mesma espécie e portanto capazes de acasalar livremente.

Por muitos milhares de anos, ou assim afirma essa teoria, as diferentes raças de *Homo erectus* continuaram a evoluir, mudando ainda que ligeiramente, mas sem perder a capacidade de cruzamento. Por fim, há milhares de anos, elas se tornaram o que consideraríamos o ser humano. Os homens não evoluíram só na África de um descendente de *Homo erectus*, afirmou Wolpoff, mas de uma mistura de descendentes de *Homo erectus* em todo o mundo.

De acordo com esse modelo, os neandertais tiveram um lugar importante na evolução humana como um dos seus ancestrais, junto com várias outras raças de *Homo erectus*. Wolpoff e defensores acreditavam que cada raça descende principalmente de uma raça um pouco diferente de *Homo erectus*, e é esse o motivo das diferenças raciais que podem ser vistas entre os seres humanos de hoje. Isso significaria que tais diferenças são antigas, datando de 1 milhão de anos ou mais, da época em que o *Homo erectus* começou a se dividir em diferentes raças. Por motivos óbvios, essa teoria ficou conhecida como a hipótese de "evolução multirregional".

Como Stringer, Wolpoff e colegas encontraram respaldo a sua teoria no registro fóssil. Tudo era uma questão de como os fósseis eram interpretados. Wolpoff não concordava com a idéia de Stringer de que os fósseis de *Homo erectus* de fora da África eram muito diferentes dos fósseis do homem moderno. Para ele, os neandertais e outros fósseis ancestrais humanos passavam de 1,5 milhão de anos ou mostraram uma transição gradual do *Homo erectus* aos seres humanos modernos em todo o mundo. Ele acreditava, por exemplo, que os asiáticos modernos têm uma estreita semelhança com os fósseis de *Homo erectus* encontrados naquela região, e que os europeus modernos se assemelham a fósseis neandertais. Do ponto de vista de Wolpoff e colegas, os fósseis confirmaram que os neandertais, junto com as outras raças de *Homo erectus*, podem ser considerados os ancestrais do homem.

Com base apenas no indício fóssil, chegara-se de novo a um impasse no debate sobre o destino dos neandertais, um impasse que se mostrava cada vez mais difícil de ser resolvido. Depois de quase 150 anos de debates, e ainda sem nenhuma concordância, parecia que a questão nunca seria — na verdade, nunca *poderia* — ser resolvida.

Extração de DNA humano e suas implicações

Em 1987, a questão do destino dos neandertais e sua relação com os seres humanos deu uma guinada empolgante quando foram fornecidos alguns indícios completamente novos —

indícios que, pela primeira vez, não dependiam do problemático registro fóssil humano. Em um extraordinário anúncio na prestigiosa publicação científica *Nature*, os pesquisadores de Berkeley, Rebecca Cann, Mark Stoneking e Allan Wilson, apresentaram um método inovador e inteligente para investigar a questão da evolução humana: procurar pistas em DNA extraído diretamente de pessoas que vivem hoje.

De forma cuidadosa e diligente, os pesquisadores coletaram amostras de tecido de 147 pessoas de hoje provenientes de uma gama de localizações geográficas diferentes, inclusive a África, Ásia, Austrália, Europa e Papua-Nova Guiné. Usando o mesmo processo básico descrito na introdução, os cientistas extraíram DNA de cada amostra e depois compararam seções específicas do DNA. O que descobriram foi o fato atordoante de que todos os seres humanos, quer sejam da Ásia, África ou da Europa, ou de qualquer outro lugar, têm um DNA surpreendentemente *semelhante*. Essa descoberta simples pode parecer banal na superfície, mas na realidade tem grandes implicações não só para o debate sobre o destino dos neandertais, mas para as origens da própria espécie humana.

Para entender o que indicava a pesquisa de Cann, Stoneking e Wilson, gosto de pensar em uma história que minha mãe costuma contar sobre o dia em que eu nasci. Depois de determinar que eu era uma menina e que eu estava bem e viva, minha mãe "deu uma olhada" em mim para ver como era a minha cara. Como resultado dessa compreensível curiosidade, uma das primeiras frases a cair em meus ouvidos foi: "Ai, meu Deus! Ela tem os dedos dos pés do vovô!".

O sentido dessa história? Que, a partir do momento em que nascemos, é óbvia a estreita semelhança que temos com os nossos parentes mais próximos. O mesmo também é válido para o DNA, o material genético de cada uma das células que determina os muitos aspectos de nossa aparência e o modo como nos comportamos — em essência, quem somos. O DNA é transmitido dos pais aos filhos e de ancestrais a descendentes, mas, com o tempo, mutações, ou mudanças, tendem a ocorrer no DNA. O resultado é que, quanto mais próximo o parentesco entre dois seres vivos, mais parecidos devem ser seus DNAs. Segue-se, portanto, que se dois seres vivos têm um DNA muito similar, pode-se ter certeza de que são parentes próximos e têm um ancestral comum bem recente.

A pesquisa de Cann, Stoneking e Wilson mostrou que todos os seres humanos têm um DNA extraordinariamente semelhante — a seção que eles olharam diferia em média apenas 0,5% entre todas as 147 pessoas do estudo. Isso implicava que todos os homens modernos são aparentados e que, portanto, é provável que tenham tido um ancestral comum muito recente.

Como se esse resultado por si só não fosse suficiente, Cann, Stoneking e Wilson realizaram depois uma análise matemática engenhosa para calcular quando e onde podia ter vivido esse ancestral comum de todos os seres humanos. O método que usaram é bem simples: a análise anterior de DNA humano e animal indicava que, devido às mutações que ocorrem naturalmente e são uma característica do DNA de todos os seres vivos, a seção de DNA em que se concentraram tende a evoluir (mudar) a uma taxa de 2-4% por milhão de anos. O fato de que todo o DNA em suas amostras diferia por uma média de cerca de 0,5% indicava que o ancestral comum de todos os seres humanos provavelmente viveu em algum lugar na faixa de 140 mil a 290 mil anos atrás. Posteriormente, devido aos padrões de semelhanças e diferenças entre o DNA das amostras, os pesquisadores puderam postular que tal ancestral viveu na África.

Diante disso, o indício de DNA parecia derrotar francamente a opinião de Wolpoff e seus seguidores. Sua teoria declarava que os seres humanos tinham surgido de múltiplas regiões do mundo, de múltiplos descendentes do *Homo erectus*, um dos quais era o neandertal. Significava que o ancestral comum do homem era muito mais antigo — datado do início dos tempos do *Homo erectus*, que podia ser 2 milhões de anos atrás ou mais. Se assim fosse, o DNA do homem moderno devia ser muito mais diverso, uma vez que teria havido muito mais tempo para que as mutações ocorressem.

A visão de Stringer e seus colegas, por outro lado, correspondia perfeitamente aos resultados do trabalho com o DNA de Cann, Stoneking e Wilson. A hipótese "Out of Africa" dizia que os seres humanos evoluíram recentemente e apenas na África, e descendiam de apenas uma raça de *Homo erectus*, que não era neandertal — exatamente o que indicavam os resultados de Cann, Stoneking e Wilson.

Será que isso significava que o debate neandertal enfim tinha acabado? Infelizmente, não. Wolpoff rejeitaria por algum tempo os resultados do trabalho com DNA, e por certo não seria silenciado com facilidade. Declarando que "não há a menor possibilidade" de que Cann, Stoneking e Wilson estivessem corretos, ele insistiu que os fósseis não mentem — que eles claramente mostravam uma transição do *Homo erectus* para os seres humanos em qualquer lugar do mundo para onde alguém se desse ao trabalho de olhar — e que nenhum DNA humano moderno mudaria isso. "Se de fato querem saber de onde veio o homem moderno, olhem alguns fósseis", disse ele em desafio.

Assim, com sua fé inabalável no que os fósseis pareciam lhe estar dizendo, Wolpoff também questionou parte do método de análise dos pesquisadores no estudo e reiterou sua idéia de que os resultados não refletiam com exatidão o que na verdade aconteceu quando o homem evoluiu. Seus defensores concordaram com ele. E assim o debate continuou.

Entra em cena o DNA neandertal

O impasse estava armado. Comparar DNA de seres humanos modernos, embora fosse inovador, era um método indireto de ver o passado, o que era uma dificuldade. Sempre haveria questões de interpretação, e o debate a respeito de o DNA moderno realmente poder refletir com exatidão os eventos passados.

O indício de DNA parecia respaldar a hipótese "Out of Africa" de que os neandertais não podiam ter sido ancestrais humanos, mas estava claro que era necessário um indício mais direto para que o debate fosse resolvido de uma vez por todas.

Não se passou muito tempo e os pesquisadores deram o passo lógico seguinte. E se fosse possível extrair DNA diretamente de um osso neandertal e compará-lo com o DNA do homem de hoje? Se os neandertais foram ancestrais diretos do homem, em particular daqueles que moravam nas áreas onde os neandertais viveram (o que incluía a Europa e a Ásia ocidental), eles teriam passado seu DNA diretamente para os descendentes humanos modernos e ele devia ser muito semelhante ao DNA de europeus e asiáticos ocidentais de hoje.

Por outro lado, se os neandertais *não* fossem ancestrais diretos dos europeus, mas só um parente mais distante, o DNA neandertal devia ser bem diferente do DNA dos europeus atuais. Se fosse possível extrair e analisar DNA neandertal, talvez o debate finalmente fosse resolvido.

Ninguém duvidava de que a tarefa de extrair e analisar DNA neandertal seria uma das mais desafiadoras já tentadas pelo projeto de DNA antigo. Assim, os pesquisadores dos neandertais decidiram procurar um dos pioneiros da pesquisa de DNA antigo, Svante Pääbo, do Instituto Zoológico da Universidade de Munique, na Alemanha.

Nascido na Suécia, Pääbo estudou arqueologia na universidade quando ainda cursava o colégio, mas achou o trabalho "lento demais" e se voltou para o estudo da imunologia. Depois, já pós-graduando, ele começou a se dedicar ao novo campo do DNA antigo em seu tempo livre. Depois de alguma persuasão, o diretor do museu de Berlim Oriental permitiu que Pääbo fizesse experimentos com as múmias egípcias da coleção do museu, e ele começou a tentar extrair DNA dos restos antigos à noite e nos fins de semana.

Pääbo obviamente achou seu nicho com o DNA antigo e continuou a desenvolver esse campo de pesquisa emergente, primeiro na Universidade da Califórnia, em Berkeley, depois no Instituto de Zoologia da Universidade de Munique. Na época em que começou o trabalho com DNA neandertal, ele tinha feito fama sozinho e era a pessoa perfeita para assumir uma tarefa tão difícil.

Junto com seu aluno de pós-graduação Matthias Krings, Pääbo retirou uma amostra pequena — de 3,5 gramas — de osso do úmero direito de um neandertal. O osso pertencia ao esqueleto original encontrado em 1856 no vale de Neander. Diligentemente, a dupla extraiu o DNA da amostra, usando o mesmo processo básico que descrevi antes. Em seguida, compararam seções do DNA neandertal com seções equivalentes de DNA extraído de várias amostras de pessoas de hoje, de diferentes regiões do mundo.

Um filamento de DNA é uma longa molécula parecida com um fio, composta de uma seqüência de pequenas unidades chamadas "bases" que são ligadas umas às outras no filamento. Existem quatro tipos diferentes de bases: adenina (representada como A), timina (T), guanina (G) e citosina (C). Nas células de organismos, dois filamentos de DNA são enrolados e formam a famosa "dupla hélice", que por sua vez se enrola e compacta ainda mais, assumindo a forma dos cromossomos (ver diagrama na p. 13).

Para comparar o DNA de dois organismos diferentes, como mencionei antes, primeiro o DNA é extraído de amostras de cada um deles e, no laboratório, são feitas cópias do segmento de DNA proveniente de cada amostra em que os pesquisadores estão interessados. O passo seguinte é determinar a seqüência de DNA — a ordem das bases no filamento de DNA — dessa amostra específica. Isso é feito em um processo que usa várias substâncias e enzimas, e que hoje é em geral realizado de forma automatizada por grandes aparelhos conhecidos como seqüenciadores de DNA. Depois de conhecer as seqüências de DNA de cada amostra, elas podem ser comparadas e analisadas. Nessa fase, é mais ou menos uma questão de simplesmente alinhar as seqüências em uma tela de computador e buscar semelhanças e diferenças.

Quando Pääbo e Krings alinharam sua seqüência de DNA neandertal com a seqüência proveniente da seção equivalente de DNA humano moderno, não havia como confundir os resultados. O DNA neandertal e o DNA humano eram muito diferentes. Pääbo e Krings descobriram que o DNA neandertal variava do DNA humano em uma média de 26 diferenças individuais. Para certificar-se de que os resultados estavam corretos, os pesquisadores Anne Stone e Mark Stoneking repetiram cada passo do procedimento em um laboratório independente no Departamento de Antropologia da Universidade do Estado da Pensilvânia. O DNA que eles extraíram era exatamente o mesmo, o que confirmava os resultados de Pääbo e Krings.

Seção de seqüências de DNA humano (esquerda) e neandertal (direita). As diferenças são mostradas em negrito na seqüência de neandertal. Só um filamento de DNA de cada dupla hélice é mostrado — o outro pode ser inferido pelo uso da regra do pareamento de bases (A pareia com T, e C pareia com G). (Este diagrama é adaptado da seqüência mostrada em Krings, M. et al. [1997], "Neanderthal DNA sequences and the origin of modern humans", Cell, vol. 90, pp. 19-30.)

GGAAGCAGATTTGGGTACCACCCAAGTATTGACTCACCCATCAACAACCGCTATGTATTTCGTACATTACTGCCAGCCACCATGAATATTGTACGGTA

GG**G**AGCAGATTTGGGTACCACCCAAGTATTGACTCACCCATCA**G**CAACCGCTATGTAT**C**TCGTACATTACTG**TT**AG**TT**ACCATGAATATTGTACG**A**TA

Enfim uma conclusão para o debate sobre o neandertal?

Só havia uma conclusão a que Pääbo e sua equipe podiam chegar. Se os neandertais fossem verdadeiramente ancestrais humanos, seu DNA teria sido muito mais semelhante ao DNA humano moderno. Em vez disso, seu trabalho deu a primeira prova clara de que os neandertais não podiam ter sido ancestrais do homem.

Assim que foram divulgados os trabalhos com DNA de neandertal, o debate voltou a irromper. Todos tinham algo a dizer sobre o que pensavam dos resultados e o que eles significavam para os neandertais. Seria finalmente uma prova absoluta de que Stringer e seus colegas estavam certos, e que Wolpoff e colaboradores estavam errados? Estaria concluído o grande debate sobre o neandertal?

Stringer e colegas ficaram compreensivelmente deliciados com os resultados dos experimentos. Stringer chamou o trabalho com DNA de "uma realização sensacional" que, na opinião dele, dava provas convincentes de que ele e seus defensores estavam certos.

Não tão rápido assim, disseram Wolpoff e colegas. Embora concordassem que o DNA neandertal era "um trabalho extremamente importante", Wolpoff assinalou que só havia uma amostra de DNA neandertal até agora, e seria necessário mais antes que se chegasse a alguma conclusão definitiva. Alguns outros aspectos da análise do DNA neandertal também o incomodaram. "Não quero ser estraga-prazeres de ninguém", disse ele, "mas existem alguns detalhes irritantes".

Embora ninguém pudesse negar que fora realizado um trabalho verdadeiramente revolucionário, ficou evidente que uma única amostra de DNA neandertal não poria termo ao debate. Mais DNA neandertal, proveniente de diferentes indivíduos, precisava ser extraído e comparado com os resultados de Pääbo.

Assim foi que, pouco tempo depois, uma segunda equipe de cientistas, liderados pelo pesquisador Igor Ovchinnikov, extraiu DNA de um segundo espécime neandertal, uma criança encontrada numa caverna no sul da Rússia, uma das populações neandertais mais a leste. Apesar da separação geográfica entre as amostras, quando o DNA do neandertal russo foi comparado com o DNA do primeiro neandertal, provou-se muito semelhante. Como o DNA do primeiro neandertal, o DNA do neandertal russo também era muito diferente do DNA do homem moderno.

Krings, Pääbo e seus colegas também extraíram DNA de ossos neandertais encontrados em uma caverna na Croácia. De novo, o DNA era semelhante às duas amostras anteriores e muito diferente daquele do homem moderno.

Agora, três amostras indicavam que o DNA neandertal era significativamente diferente do DNA humano moderno. Apesar desse indício, Wolpoff e outros defensores da hipótese da evolução multirregional ainda não aceitavam que isso fosse prova conclusiva de que os neandertais não eram ancestrais humanos. Eles assinalaram uma falha fundamental na pesquisa — que o DNA neandertal estava sendo comparado com DNA de homens *dos dias de hoje*, e não com o

DNA de seres humanos que viveram vários milhares de anos antes, mais próximos da época em que os neandertais desapareceram. E se, sugeriu Wolpoff, o DNA humano tivesse mudado desde então? Se assim fosse, então o DNA dos primeiros seres humanos talvez fosse muito mais semelhante ao DNA neandertal, o que significava que eles podiam ser, afinal, ancestrais humanos.

Foi um bom argumento de Wolpoff, concordaram os pesquisadores de ambos os lados — até que houvesse um bom quadro não só de como era o DNA neandertal, mas também do DNA dos primeiros seres humanos, não poderíamos ter certeza. Extrair e comparar DNA humano antigo e DNA neandertal ajudaria a esclarecer quaisquer dúvidas persistentes criadas pela comparação de DNA humano moderno com DNA neandertal antigo.

Isso levou um grupo de cientistas italianos e espanhóis a extrair DNA de uma amostra de osso de um homem europeu de 20 mil anos da caverna Paglicci, no sul da Itália. Pedaços de DNA desse esqueleto foram comparados com o DNA de pessoas de hoje e com o DNA neandertal. O DNA mostrou o que Stringer e seus defensores suspeitavam: o DNA do homem antigo da era moderna correspondia ao DNA do homem atual, mas não correspondia ao DNA neandertal. Assim, era extremamente improvável que os neandertais fossem ancestrais humanos.

Conclusão: os neandertais não são ancestrais humanos

Em um exemplo surpreendente da capacidade da pesquisa de DNA antigo para dar respostas a questões fascinantes da vida real, por fim o trabalho com DNA neandertal, depois de 150 anos de debate, permitiu que afirmássemos com alguma certeza que os enigmáticos neandertais não são os ancestrais do homem, mas exemplo de uma espécie extinta, embora extremamente interessante.

Como todos também estamos cientes, a extinção de espécies tem sido um fenômeno natural constante em toda a história evolutiva da vida na Terra. Algumas estimativas sugerem que cerca de 99% de todas as espécies que já viveram estão hoje extintas.

Embora as espécies se extingam, elas nem sempre desaparecem sem deixar rastros. Às vezes, por uma feliz coincidência, os restos de um organismo ficam preservados após sua morte. Graças a isso, tem sido possível descobrir ossos, dentes, fósseis e às vezes carcaças inteiras preservadas de espécies extintas.

Alguns desses restos mortais ainda contêm DNA. A pesquisa com DNA de espécies extintas é na realidade uma das áreas mais produtivas do trabalho com DNA antigo e, assim como no caso dos neandertais, é regularmente usada para investigar a relação entre espécies extintas e seus parentes vivos.

Embora seja uma área de pesquisa interessante e produtiva por si mesma, ela preparou o caminho para a exploração de uma proposição ainda mais intrigante: se o DNA podia ser usado para trazer uma espécie extinta de volta à vida. Será que um dia poderemos criar um "zoológico pré-histórico" em que macacos se misturem com mamutes, e tigres com tilacinos? Extinção tem que ser para sempre?

2

O ZOOLÓGICO PRÉ-HISTÓRICO

Podemos trazer animais extintos de volta à vida?

Fui criada na Nova Zelândia, e nas férias escolares, quando eu era criança, sempre ficava com meus avós em Wellington. Minha avó me mimava, comprava presentes para mim e fazia meus pratos favoritos, e meu avô me levava a todos os meus lugares preferidos. Visitávamos os jardins botânicos, onde eu dava pão aos patos e depois subia correndo a colina até o parquinho. Nós saíamos para passear de bonde, um ícone da cidade de Wellington, que tinha revestimento de madeira brilhante e alças penduradas no teto que eu nunca podia alcançar. Íamos ao zoológico, onde eu ria ao ver os macacos catando pulgas nas costas uns dos outros. Mas o ponto alto de cada estada sem dúvida era nossa visita ao museu.

O museu era um lugar mágico. Havia todo tipo de coisas fascinantes para uma menina curiosa de 6 anos — canoas maoris, uma múmia egípcia de verdade, até um recife artificial completo, com peixes de plástico suspensos. Em cada canto havia uma coisa diferente e interessante para ver. Mas, toda vez que eu passava por aqueles corredores, havia uma coisa que eu queria ver mais do que todas as outras.

Vagávamos pelos salões de exposição, andávamos por corredores e subíamos e descíamos escadas até que finalmente nos aproximávamos de um canto e ali estava: o moa. A enorme e extinta ave que assomava bem acima de minha cabeça, acima da cabeça de qualquer pessoa. Ela me fascinava e me assustava em igual medida. Eu ansiava por estender a mão e tocar nela, sentir as penas macias e os pés coriáceos. Parecia tão real, como se pudesse pular de seu estrado e me perseguir pela sala. É claro que eu sabia que isso nunca iria acontecer. Mesmo sendo uma garotinha, eu sabia que criaturas extintas nunca voltavam à vida. Afinal, a extinção é para sempre, não é?

Os restos de milhares de mamíferos, aves, insetos e répteis extintos são abrigados em museus e em outras coleções em todo o mundo. Foram descobertos dentes, ossos, conchas e, em alguns casos de sorte, carcaças inteiras preservadas, enterradas em cavernas ou no subsolo profundo. Essas relíquias do passado compõem as exposições naquelas enormes coleções zoológicas pré-históricas. Mas, ao contrário dos zoológicos cheios de animais vivos, os salões que abrigam tais relíquias são sinistros de tão silenciosos e parados. Não há gorjeios, guinchos, rugidos nem grunhidos, nada voa, pula. Os animais nessas coleções, no passado vibrantes e vivos, não são mais assim.

A gama de espécies diferentes que no passado perambulava pela Terra é simplesmente de tirar o fôlego. Não surpreende que, quando se considera o número total de espécies que se extinguiram desde que a vida surgiu, constata-se que ultrapassa em muito o número de espécies existentes hoje. Algumas, como o tilacino australiano, por exemplo, foram extintas há pouco tempo. O último tilacino teve uma morte infeliz e prematura no Zoológico de Hobart, na década de 1930, o que significa que ainda pode haver alguém que tenha tido a sorte de se lembrar de ter visto um.

Algumas espécies, como o mamute lanudo, foram extintas há vários milhares de anos, enquanto outras, há milhões de anos, sobretudo os dinossauros. Mas a história não pára por aí. Em 3 bilhões de anos ou mais de existência de vida na Terra, à medida que novas espécies evoluíram, outras se extinguiram.

Tendo em vista que a maioria das espécies extintas nunca foi vista viva por ninguém de hoje, é extraordinário que tenham sido compilados detalhes tão complexos sobre elas. A análise detalhada de ossos, conchas, dentes e carcaças permitiu que paleontólogos deduzissem os detalhes dos animais e de sua vida: o que comiam, quais eram seus hábitos, como era sua aparência, quando apareceram na Terra e quando e por que se extinguiram.

A análise tradicional envolvia o exame de estruturas físicas dos restos mortais, a partir dos quais uma variedade de informações podia ser garimpada. A análise física ainda é um método inestimável para se aprender mais sobre a história da vida na Terra, mas na década de 1980 uma nova tecnologia estava no horizonte, uma tecnologia que impeliria aqueles restos poeirentos a revelar ainda mais de seus bem guardados segredos.

Nos últimos anos, foram feitos enormes progressos na tecnologia do DNA em geral, o que significa que sua análise está cada vez mais aprimorada. Tornou-se uma importante ferramenta para estudar vários aspectos de espécies *vivas*, e hoje é uma tarefa rotineira tomar uma amostra de sangue de um animal vivo, extrair o DNA e realizar experimentos com ele — examinar, por exemplo, o grau de semelhança no DNA de duas espécies a fim de saber mais sobre sua relação evolutiva, ou investigar o DNA de determinados genes de um animal para saber mais sobre o funcionamento de diferentes genes.

Isso aconteceu cerca de dez anos antes do revolucionário trabalho com DNA de neandertal discutido no capítulo anterior, e ainda não havia sido extraído DNA de um animal extinto. Apesar de a idéia ser intrigante, ninguém sabia se o DNA sobreviveria nos restos de um animal extinto, ou se poderia ser extraído. A idéia, porém, era irresistível, e foi inevitável que alguém quisesse tentar descobrir.

O quaga: extração de DNA de espécies extintas

Reinhold Rau era taxidermista do Museu da África do Sul, na Cidade do Cabo. Em 1969, começou a trabalhar na remontagem de um filhote de quaga que havia morrido 140 anos antes. O quaga era um mamífero sul-africano com um aspecto híbrido entre uma zebra e um cavalo. Tinha listras pretas, como a zebra, na cabeça e no pescoço, com a barriga e as pernas de uma só cor. A parte superior do corpo era amarronzada, em vez do preto-e-branco que distingue as zebras.

O quaga viveu em número significativo na África do Sul, mas depois da colonização européia sua população começou a cair drasticamente, por dois motivos principais. Primeiro, como todos os membros da família dos cavalos, os quagas pastavam, e o pasto era escasso. Os colonizadores achavam que os quagas estavam competindo pela limitada pastagem com seu próprio rebanho, suas ovelhas e cabras. Por isso, o quaga foi caçado impiedosamente por fazendeiros que pretendiam proteger sua criação. Além disso, a caça de animais africanos era um esporte dileto no século XIX.

O número continuou a minguar até que finalmente só restava uma fêmea quaga, mantida em cativeiro no zoológico de Amsterdã. Ela morreu em 12 de agosto de 1883, e com ela também a espécie. Infelizmente, só se percebeu que o quaga estava extinto muitos anos depois.

O filhote que Rau remontara estava guardado no Museu de História Natural em Mainz, na Alemanha Ocidental. À medida que trabalhava no filhote de quaga, Rau descobria tecido muscular ainda preso à pele. Com o passar dos anos, uma idéia começou a se formar na cabeça de Rau. Será que podia encontrar DNA naquele tecido seco? Rau ficou intrigado com a possibilidade e decidido a descobrir a resposta.

Rau enviou uma amostra do tecido muscular a um grupo de pesquisadores de DNA na Califórnia que tinha expressado interesse em tentar extrair DNA dele. Surpreendentemente, a equipe conseguiu extrair alguns fragmentos de DNA, provando pela primeira vez que ele *de fato podia* ser extraído de um animal extinto.

Como prêmio, o DNA que eles extraíram forneceu algumas informações interessantes sobre o próprio quaga. Havia uma antiga discordância a respeito de o quaga ser uma espécie separada, mas estreitamente relacionada, de todas as outras zebras, uma subespécie de zebra-das-planícies (uma das três espécies vivas de zebra, que também inclui a zebra-da-montanha e a zebra de Grevy, da África Oriental), ou se tinha relação mais estreita com o cavalo do que com a zebra.

Para determinar a resposta, depois de extrair o DNA do quaga, a equipe de pesquisa fez cópias e determinou a seqüência de dois pequenos fragmentos de DNA, usando o mesmo método básico que os pesquisadores dos neandertais usariam

GGGAGGATTTGTTCACTGATTCCCTCTATTCTCAGGGTACACACTCAACCAAACCTGAGCAAAATCCACTTTACAATTATATTCGTAGGAGTCAATATAACTTT

AGGAGGATT**C**GTTCACTGATTCCCTCTATTCTCAGG**A**TACACACTCAACCAAACCTGAGCAAAAT**T**CACTTTACAATTATATTCGTAGG**G**GTCAA**C**ATAA**T**TT

Seção de seqüências de DNA de zebra (esquerda) e quaga (direita). As diferenças são mostradas em negrito na seqüência de quaga. Novamente, só um filamento de cada dupla hélice de DNA é exibido aqui. (Este diagrama é adaptado da seqüência mostrada em Higushi, R. et al. [1984], "DNA sequences from the quagga, an extinct member of the horse family", Nature, *vol. 312, pp. 282-4.)*

mais tarde. Eles alinharam a seqüência de DNA do quaga e as seqüências equivalentes de DNA da zebra e cavalo e os compararam. O que descobriram foi que o DNA do quaga era muito mais semelhante ao da zebra-das-planícies, com um total de apenas 12 diferenças de base entre os fragmentos dos dois animais. Isso chegou bem perto de provar que o quaga e a zebra eram de fato a mesma espécie, com diferenças suficientes para serem considerados subespécies.

Esse êxito imediatamente gerou um surto de interesse na pesquisa de DNA de espécies extintas de animais. Seria possível que outros espécimes de museu contivessem DNA em condições boas o bastante para serem extraídos? Quantos segredos da relação evolutiva de animais extintos podiam ser revelados dessa forma? A caça havia começado.

O DNA logo foi encontrado em exemplares de várias outras espécies extintas: mamutes, o rinoceronte lanudo, *bandicoot* de pés grandes, mastodonte americano, vaca-marinha-de-steller, tigre-dentes-de-sabre, ursos-das-cavernas, várias espécies de bicho-preguiça, tilacinos, piopios, antílopes azuis, espécies de saracura da Nova Zelândia, moa-nalos e lêmures. Como veremos no capítulo 4, esse tipo de pesquisa de DNA antigo deu alguns *insights* interessantes à história da evolução de minha ave extinta preferida, o moa.

O tigre-da-tasmânia: uma história de extinção

Usar o DNA de animais extintos para investigar a relação evolutiva entre eles e as espécies ainda vivas foi e continua a ser uma área interessante da pesquisa de DNA antigo. Mas alguns pesquisadores começam a se perguntar se alguma coisa ainda mais empolgante pode ser feita com o teste de DNA. Será que pode ser usado para fazer o que na verdade parece pertencer ao reino da ficção científica? Será que o DNA antigo pode ser usado para trazer espécies extintas de volta à vida?

Mike Archer, diretor do Museu da Austrália, foi um desses pesquisadores. Será possível, perguntou-se Archer, trazer de volta uma determinada espécie que se extinguiu bem recentemente: o tilacino australiano?

O tilacino é conhecido por vários nomes, inclusive tigre-da-tasmânia, lobo-da-tasmânia e lobo marsupial. Seu nome científico é *Thylacinus cynocephalus*, que pode ser traduzido por "o cão com bolsa e cabeça de lobo". Porém, o tilacino não era aparentado do tigre, do cachorro nem do lobo, mas na verdade era um marsupial.

Os mamíferos são divididos em três grupos, dependendo de seus sistemas de reprodução. Existem os mamíferos placentários, grupo a que pertencemos; os marsupiais, que têm bolsa; e os monotremados — o ornitorrinco e os equidna —, que põem ovos. Como o canguru e o gambá, o tilacino era um marsupial. Contudo, era muito diferente de qualquer outro marsupial dos dias de hoje e não tem parentes próximos vivos.

Os nomes populares do animal sugerem mais sua aparência do que seu parentesco. O tilacino era de cor marrom-amarelada, com listras escuras no dorso. Sua forma geral assemelhava-se à de um cão e era mais ou menos do tamanho de um cachorro bem grande. Um adulto tinha cerca de 1,5 metro do focinho à cauda e pesava 30 quilos.

No passado, o tilacino era encontrado em todo o continente australiano e na Nova Guiné. A Austrália também tinha uma gama de espécies de grandes mamíferos, conhecidos como megafauna ("grandes animais") — por exemplo, o diprotodonte, um marsupial do tamanho de um rinoceronte. A megafauna proporcionava uma fonte de alimentos para os predadores, inclusive o tilacino.

Acredita-se que os primeiros homens tenham chegado à Austrália, provenientes da Ásia, há 50-60 mil anos. Na época, o mundo estava na Era do Gelo. Com grande parte da água do planeta contida em gelo, o nível do mar era mais baixo, o que significava que a Nova Guiné, a Austrália continental e a Tasmânia eram uma massa de terra contínua, tornando a migração mais fácil para os primeiros habitantes humanos da Austrália.

Depois que o homem chegou à Austrália, a megafauna começou a se extinguir. Debate-se acaloradamente se o ser humano provocou essa extinção; porém, essa é certamente uma das teorias para o desaparecimento da megafauna.

A extinção da megafauna reduziu drasticamente a oferta de alimentos para os predadores nativos da Austrália, inclusive o tilacino. É possível que o homem também o tenha caçado para se alimentar. O tilacino desapareceu da Austrália continental há pelo menos 2 mil anos, e desde então só foi encontrado na Tasmânia. Várias outras espécies de predadores se extinguiram na mesma época, inclusive diversas espécies de crocodilo e um leão marsupial.

No início dos anos 1800, colonos europeus chegaram à Tasmânia e estabeleceram lavouras. Começaram a circular boatos de que o tilacino atacava as ovelhas e era, portanto, uma ameaça ao setor de ovinocultura, e logo o animal estava sendo caçado seriamente. O governo da Tasmânia deu início a um esquema de recompensas em 1888, pagando a qualquer um que matasse um tilacino.

A tragédia é que havia poucas provas de que os tilacinos só matavam uma ovelha de vez em quando. Eles certamente não eram a ameaça significativa para o setor que os criadores acreditavam ser. Mas o mito de que eram matadores de ovelhas persistiu e a conseqüência foi sua eliminação.

Também houve um desejo geral na época, entre os colonos, de substituir as plantas e animais nativos da Tasmânia pela flora e fauna que traziam da Europa. Como maior espécie predadora entre as espécies nativas da Tasmânia, o tilacino estava fadado ao desaparecimento.

Logo depois da virada para o século XX, porém, as coisas começaram a ficar um pouco mais positivas para o tilacino. A atitude estava mudando e alguns tasmanianos, em particular cientistas e naturalistas, passaram a valorizar a flora e a fauna nativas da ilha. Em 1904, foi fundado o Clube de Naturalistas de Campo da Tasmânia, que, embora apoiasse a introdução de espécies de caça de além-mar, também promovia a apreciação de espécies nativas. Como parte dessa mudança na atitude, os cientistas começaram a verbalizar suas preocupações com a iminente extinção do tilacino. Em 1909, o esquema de recompensas finalmente cessou.

Mas na época restavam poucos tilacinos. O mito de que eles eram uma ameaça para a criação de ovelhas não esmoreceu e ainda havia uma forte oposição por parte dos criadores à idéia de salvar o tilacino, o que dificultou sua conservação. Mas a consciência da difícil situação do tilacino aumentou e houve mais apelos para salvar o animal antes que se tornasse extinto. Infelizmente, foi um caso clássico de pouco a fazer quando é tarde demais.

Em 1933, o zoológico de Hobart comprou o último tilacino selvagem de que se tinha notícia, uma fêmea jovem, que por infelicidade morreu em 7 de setembro de 1936, apenas 59 dias depois de o tilacino ter sido declarado uma espécie legalmente protegida. É de conhecimento geral que, quando este tilacino morreu, a espécie se tornou extinta.

Para aumentar os danos, o último tilacino morreu como resultado direto da negligência humana. Durante o dia, era colocado fora da toca, para permitir que o público o visse. O cercado em que era mantido durante o dia não tinha abrigo, mas em geral a fêmea tinha acesso a uma área de toca segura à noite. À tarde, antes de irem embora, os tratadores realizavam a tarefa essencial de trancar a tilacino na toca da noite para garantir que ficasse aquecida o bastante durante a noite fria.

Era a época da Depressão, e o zoológico havia empregado vários funcionários sem qualificação no esquema de trabalho por subsídio de desemprego. Um desses funcionários recebeu a incumbência de ser o tratador do tilacino fêmea. Numa noite de inverno, o tratador não trancou a tilacino

Um casal de tilacinos no início do século XX no National Zoological Park, em Washington, D.C. (Arquivos do Smithsonian Institute, Registro 95, caixa 49, f. 18, imagem nº 94-12585)

na jaula antes de partir, e ela morreu naquela noite de exposição ao frio. Foi um período lamentável na história do zoológico, muitos outros animais morreram por negligência na mesma época.

Desde 1936, várias pessoas relataram ter avistado um tilacino. Mas nenhum caso foi confirmado e nenhum tilacino capturado, nem foram encontrados restos mortais do animal. A espécie quase certamente está extinta desde setembro de 1936.

A clonagem do tigre-da-tasmânia: podemos ressuscitar espécies extintas?

O tilacino pode estar extinto, mas não necessariamente desapareceu para sempre, se Mike Archer puder fazer alguma coisa a respeito disso. Archer, biólogo conservacionista e até recentemente diretor do Museu da Austrália, tem um antigo interesse pessoal em marsupiais carnívoros australianos, em especial o tilacino.

Archer ficou deliciado quando um dia topou com um filhote de tilacino preservado na coleção do Museu da Austrália. O filhote havia sido armazenado em álcool desde sua morte, em 1866. Uma idéia começou a ser formulada. Será que esse filhote, e outros restos semelhantes de tilacino, poderiam ser usados para fazer um clone?

Nada parecido com isso fora feito antes, mas Archer estava decidido a tentar. E ele não era o único a achar que a tarefa valia a pena. O apoio à idéia aumentou e, em 1999, o Museu da Austrália lançou um projeto para ver se o tilacino podia realmente ser trazido de volta à vida. Foi criado um fundo privado para financiar a pesquisa, com o financiamento adicional do governo de Nova Gales do Sul.

A primeira fase da pesquisa era determinar se era possível extrair DNA do filhote preservado. Archer e sua equipe tinham bons motivos para ter esperança devido a uma decisão casual tomada quando o filhote morreu — ele fora imediatamente preservado em álcool etílico. Esse era um meio de conservação alternativo, de certa forma incomum — em geral se usava formalina para conservar espécimes biológicos —, e foi essencial ao projeto. A formalina destrói quase completamente o DNA. O álcool não tem essa propriedade.

O projeto teve um ótimo começo quando a equipe de pesquisa conseguiu extrair um minúsculo pedaço de DNA do filhote preservado. Em seguida, eles conseguiram extrair pedaços de DNA dos restos de outros dois tilacinos.

Os pesquisadores porém tinham um longo caminho até saber se era possível recriar um tilacino. Antes que pudessem seguir adiante, precisariam descobrir os menores detalhes não só de alguns pequenos fragmentos de DNA, mas de *todo o genoma* do animal. Em outras palavras, teriam de descobrir cada detalhe do DNA de cada cromossomo do tilacino — uma realização extremamente complicada e cara.

Genomas

A revelação dos detalhes de todo o genoma de uma espécie é comumente conhecida como projeto genoma. O Projeto Genoma Humano é um exemplo que envolveu milhões de dólares e a colaboração internacional entre vários grupos de pesquisadores. Para explicar isso muito brevemente, um projeto genoma envolve várias etapas. Primeiro, o DNA é extraído de amostras de tecido provenientes de determinada espécie e é seccionado com enzimas em pedaços que podem ser utilizados. Os pesquisadores depois examinam cada pedaço de DNA, fragmento por fragmento, analisando os detalhes, para saber onde se encaixa no genoma. Aos poucos, os pedaços são reunidos como um quebra-cabeça extremamente complexo, até que os detalhes de todo o genoma sejam conhecidos.

Um projeto genoma é um processo muito trabalhoso e demorado, mesmo para uma espécie viva em que já existem fontes de amostras de tecido dos quais extrair DNA. Só alguns projetos genoma de espécies vivas foram concluídos ou estão perto da finalização. Até hoje, não houve um projeto bem-sucedido em uma espécie extinta. O projeto genoma do tilacino, se tiver êxito, será o primeiro no mundo.

Se o projeto genoma do tilacino obtiver sucesso, os pesquisadores poderão passar à etapa seguinte, que seria fazer cromossomos sintéticos de tilacino contendo DNA idêntico ao do tilacino real. É por isso que este projeto é tão importante: sem ele, não é possível criar cromossomos sintéticos de tilacino com precisão, e a clonagem será impossível.

Na última fase, os cromossomos sintéticos seriam então usados para tentar substituir os cromossomos em uma célula-ovo de um animal hospedeiro adequado, que agiria como mãe substituta. Uma substituta em potencial para o tilacino poderia ser uma fêmea do diabo-da-tasmânia, um de seus parentes mais próximos.

Um tigre-da-tasmânia em 2010?

Os pesquisadores do Museu da Austrália esperam ver o nascimento do primeiro tilacino em 2010, e há sinais de que eles não estejam tentando o impossível. Para começar, existe uma boa coleção de restos preservados dos quais pode ser extraído DNA.

Se o projeto genoma tiver sucesso, é essencial encontrar uma quantidade suficiente de DNA de tilacino para que todo o genoma possa ser decifrado, e espera-se que isso aconteça. Mais de sessenta tilacinos foram abrigados em zoológicos entre 1856 e 1936, e há um número surpreendente de restos preservados em coleções de museu hoje — todos possíveis fontes de DNA.

Outro motivo para termos esperança é que o tilacino não está extinto há muito tempo. Em geral, quanto mais antiga a espécie, mais provável é que seu DNA esteja danificado e, portanto, impossível de ser reunido. Pode haver pedaços ausentes, ou a estrutura química do DNA pode estar alterada, impossibilitando seu reconhecimento. Com certeza seria mais fácil realizar a pesquisa de clonagem em uma espécie recém-extinta do que em uma extinta há muito tempo. O tilacino está extinto há apenas setenta anos.

Há também esperança para possíveis criações futuras. O primeiro filhote preservado que Archer encontrou era macho. Um dos outros filhotes encontrados depois disso é fêmea.

Apesar desses aspectos positivos, o museu admite que pode não ter êxito. O DNA nos restos mortais, como o DNA em qualquer espécime preservado, não está em condições ideais. Ainda tem rupturas, é frágil, tem hiatos e faltam pedaços. O DNA preservado nunca é tão bom quanto o extraído de um animal vivo.

O uso do diabo-da-tasmânia como hospedeiro também impõe problemas. Embora seja o parente vivo mais próximo do tilacino, ainda há diferenças fundamentais entre as duas espécies. Não há garantias de que um diabo-da-tasmânia seja uma mãe substituta bem-sucedida.

A clonagem é difícil mesmo em uma espécie viva. Será que ela de fato pode ser feita a partir de um animal extinto? Há muitos céticos que afirmam ser impossível. Apesar disso, Mike Archer está confiante em seu sucesso. "Pessoalmente", afirma ele, "acho que é o projeto biológico mais empolgante que ocorrerá neste milênio."

Clonagem e ética

Acima da questão da possibilidade de clonar um tilacino, paira uma outra: se a clonagem *deve* ser feita. Para começar, o projeto é muito caro. Alguns críticos afirmam que o dinheiro seria mais bem empregado para ajudar a salvar espécies atualmente ameaçadas em vez de tentar recriar uma espécie já extinta. Também há o problema de causar possíveis danos a valiosos espécimes de museu na tentativa de extrair DNA. Por fim, o que aconteceria depois que o tilacino fosse clonado? Os tilacinos nunca foram criados em cativeiro, então, mesmo que mais de um seja produzido por clonagem, não existem garantias de que a espécie conseguirá sobreviver sem intervenção humana.

Apesar das críticas, Mike Archer acha que o projeto vale a pena: os homens extinguiram o tilacino, então devemos trazê-lo de volta.

Se Archer e sua equipe estiverem certos, é possível que no futuro consigamos trazer de volta animais extintos há mais de cem anos. Mas a maioria das espécies desapareceu há muito mais tempo do que isso. Será que qualquer uma delas poderia voltar à vida? Será que um dia poderemos ir ao zoológico para ver um mamute, um rinoceronte lanudo ou um tigre-dentes-de-sabre vivos? Quando pensamos em espécies que foram extintas há muito tempo como possíveis candidatos à clonagem, o mamute pode ser um dos melhores pontos de partida.

Os mamutes e a Era Glacial

O mamute pertence a um grupo de mamíferos coletivamente conhecidos como megafauna da Era Glacial. A expressão "Era Glacial" refere-se a um período geológico na história da Terra conhecido como Pleistoceno. Ele começou há 1,6 milhão de anos e terminou cerca de 10 mil anos atrás. Nesse período, as temperaturas flutuaram em uma série de ciclos, e cada um deles durou vários milhares de anos. A característica climática mais surpreendente do Pleistoceno foi uma série de períodos frios, ou glaciais, que coletivamente abrangem sua maior parte. Nesses períodos glaciais, as temperaturas eram muito mais frias do que são hoje, o que dá ao Pleistoceno seu apelido, Era Glacial.

O hemisfério Norte foi o mais fortemente afetado: enormes mantos de gelo cobriram grandes porções do norte da Europa; a Escandinávia ficou completamente coberta de gelo, como a maior parte da Grã-Bretanha; e na América do Norte o gelo cobria uma área que ia até Nova York. A situação era semelhante, mas menos severa, no hemisfério Sul: o mar em volta da Antártica congelou e as montanhas dos Andes e da Nova Zelândia tinham enormes geleiras.

Como uma imensa quantidade de água ficou presa em mantos maciços de gelo e geleiras perto dos pólos Norte e Sul, tudo era muito mais seco nas regiões temperadas e tropicais do mundo. Os desertos eram maiores, havia mais estepes e prados e menos florestas. A distribuição da vegetação também era diferente: muitas espécies de plantas foram deslocadas de seu hábitat original à medida que o gelo se expandia, o que por sua vez provocou uma distribuição diferente dos animais que dependiam delas.

O nível dos mares era muito mais baixo, mais uma vez porque grande parte da água dos oceanos estava presa nos mantos de gelo; como conseqüência, havia mais terra seca do que existe hoje. A Austrália e a Nova Guiné eram ligadas por uma ponte de terra que agora está submersa, no fundo do mar. Graças a uma ponte de terra ligando o Alasca e a Sibéria, onde fica hoje o estreito de Bering, os animais, inclusive seres humanos, podiam se movimentar livremente entre os continentes da Europa e da América. Os primeiros habitantes humanos das Américas chegaram por essa ponte de terra durante a Era Glacial.

Entre os períodos glaciais houve períodos interglaciais mais quentes, com temperaturas semelhantes às atuais. Os mantos de gelo diminuíram e o nível dos mares subiu, novamente submergindo grandes áreas de terra. Cada ciclo completo de calor/frio durou, em média, 100 mil anos, mas os períodos glaciais eram maiores que os interglaciais.

Embora seja comum falar que a Era Glacial terminou, ela na verdade não acabou. Estamos agora numa fase interglacial que começou por volta de 10 mil anos atrás. Nos próximos milhares de anos, ela pode terminar e o gelo pode se expandir novamente — embora alguns especialistas achem que o aquecimento global possa ter algum efeito sobre a época exata em que vai ocorrer, e se vai ocorrer.

Além do clima, outra característica de destaque da Era Glacial eram as muitas espécies de grandes mamíferos que viveram no período, coletivamente conhecidas como megafauna.

Houve muitas espécies diferentes de megafauna da Era Glacial. Na Europa e nas Américas, havia mamutes lanudos e ursos-das-cavernas, por exemplo. A Eurásia era lar dos rinocerontes lanudos. O lendário tigre-dentes-de-sabre, com seus enormes caninos superiores, era encontrado nas Américas, junto com o alce gigante. Nas Américas Central e do Sul havia preguiças gigantes, algumas do tamanho de elefantes.

Há 10 mil anos, quando o último período glacial terminou, um número enorme de espécies da megafauna tornou-se extinto em todo o mundo. Na Austrália, os grandes mamíferos começaram a desaparecer 40 mil anos atrás. O urso-das-cavernas da Europa e das Américas logo se seguiu, tornando-se extinto por volta de 20 mil anos atrás. O mamute se extinguiu um pouco depois, cerca de 11 mil anos atrás. E há 10 mil anos, no final da Era Glacial, todas as preguiças gigantes desapareceram. Quando do término da Era Glacial, as espécies africanas da megafauna eram praticamente as únicas que restaram. No total, estima-se que no final da Era Glacial a Eurásia tenha perdido 28 espécies e a América do Norte, 48. Por que tantas espécies da megafauna da Era Glacial se extinguiram?

Causas da extinção

As extinções, em geral, têm um amplo leque de causas, e podem acontecer de formas variadas. Às vezes várias espécies são eliminadas em um intervalo muito curto — praticamente em um piscar de olhos, do ponto de vista ecológico. No passado, aconteceram várias dessas extinções em massa. Talvez a mais famosa seja o desaparecimento dos dinossauros, há 65 milhões de anos. Vários fatores podem ter causado tais extinções em massa, e sua causa exata é motivo de debate. As sugestões costumam se concentrar em uma enorme convulsão ambiental — por exemplo, um ataque de atividade vulcânica, ou a queda de um meteorito na terra.

Em outras épocas, só uma ou algumas espécies se extinguiam, ou um número maior de espécies se tornava extinta num intervalo mais longo. As causas disso podem incluir mudança climática, a disseminação de doenças novas e letais, ou a introdução de um novo predador, de que o ser humano é o maior exemplo.

Assim, onde entram nesse esquema as extinções da megafauna da Era Glacial? Como em muitas áreas da ciência, foram dadas várias sugestões alternativas.

A hipótese original era de que muitas espécies de megafauna se tornaram extintas quando o clima mudou no final da Era Glacial, e um grupo de pesquisadores ainda sustenta essa idéia. Certamente é verdade que houve uma mudança climática drástica no final do último período glacial, levando a uma mudança na vegetação. Grandes extensões de prado — as "estepes de mamute" — se tornaram áreas pantanosas em que a relva foi substituída por musgo e carriço. Certamente é possível que não houvesse alimento suficiente para os mamutes e outros grandes herbívoros, e que eles tivessem morrido de fome. Os indícios dessa hipótese estão no fato de que, de 10 mil anos atrás para cá, o clima do mundo tenha permanecido relativamente estável e poucas espécies de mamíferos desapareceram das Américas e da Eurásia no intervalo, se comparados com o grande número que se perdeu na Era Glacial.

Mas há pesquisadores que sugerem outra hipótese, particularmente para a extinção da megafauna americana. Durante a Era Glacial, o homem chegou às Américas e se espalhou pelos continentes. Ao mesmo tempo, mais de cinqüenta espécies de grandes animais se extinguiram na América do Norte. Teriam os homens recém-chegados caçado esses animais até a extinção?

Na América do Norte, há indícios de que o homem caçou mamutes, pelo menos. Encontraram-se ossos de mamute com marcas de raspagem muito parecidas com as produzidas por ferramentas de pedra. Assim, pelo menos nas Américas, é possível que o homem tenha contribuído para a extinção da megafauna. Esse também pode ser o caso da Eurásia, mas, até agora, não se encontrou indício direto dessa hipótese.

Uma terceira hipótese para a extinção da megafauna é a de que foram mortos por uma doença letal, talvez transmitida pelo homem ou por seus cães. Mas, perguntam os críticos, uma única doença seria capaz de fazer com que tal variedade de animais se extinguisse? Assim, apesar das muitas sugestões, a causa exata da extinção da megafauna da Era Glacial ainda é um mistério. É inteiramente possível, porém, que as extinções tenham sido causadas por uma combinação de diferentes fatores.

Permafrost *e conservação*

Embora a megafauna da Era Glacial tenha desaparecido, por certo não partiu sem deixar vestígios. De fato, foram encontrados restos incrivelmente bem conservados de animais da Era Glacial graças ao fenômeno do *permafrost*. O *permafrost* é solo permanentemente congelado, e ainda é encontrado nas zonas árticas do hemisfério Norte, da Sibéria ao Alasca, na Groenlândia e no norte do Canadá. O *permafrost* na verdade não é coberto de gelo, mas em alguns lugares pode ter 1.400 metros de profundidade.

As regiões de *permafrost* estão congeladas desde a Era Glacial, e carcaças inteiras congeladas de animais da Era Glacial, que agora estão extintos, foram descobertas no *permafrost* do Alasca e da Sibéria. Esses animais estão tão bem preservados que ainda têm pele e pêlos. Foram encontrados alimentos parcialmente digeridos em seus estômagos. Como os restos estão em boas condições, esses membros da megafauna da Era Glacial são possíveis candidatos à clonagem de espécies extintas há muito tempo.

Muitas espécies diferentes foram encontradas sepultadas em *permafrost*, inclusive o rinoceronte lanudo, o cavalo, o bisão, o boi almiscarado, a rena, o carcaju, os esquilos terrestres e o lagópode-branco. Algumas das descobertas mais espetaculares, contudo, foram os restos de mamutes. Provavelmente o mais conhecido de toda a megafauna, o mamute lanudo foi na verdade a primeira espécie a ter reconhecida sua extinção. E, se os pesquisadores envolvidos tiverem sucesso, será a primeira espécie a ser trazida de volta à vida.

Mais sobre mamutes

O mamute lanudo tem uma forte semelhança com o atual elefante, mas, como seu nome sugere, tinha um manto muito espesso com uma camada inferior mais curta e uma camada exterior muito longa de pêlos. Também tinha orelhas muito pequenas e enormes presas, com as extremidades apontando uma para a outra. O nome "mamute" sugere que eram gigantescos, mas na verdade tinham tamanho semelhante ao do elefante. Os mamutes siberianos eram até um pouco menores que os elefantes, tendo os machos três metros de altura e as fêmeas, ainda menores, mediam 2,5 metros.

Os mamutes são parentes próximos dos elefantes africanos e asiáticos. Supõe-se que tenham surgido na África do Norte cerca de 5 milhões de anos atrás. Depois se mudaram para o norte, ou atravessando uma ponte de terra entre a África e a Europa através do estreito de Gibraltar, ou talvez pelo Oriente Médio. Os mamutes que migraram para a Europa se espalharam ali vindos do norte da Ásia, e por fim atravessaram a ponte de terra de Bering até a América do Norte. Havia seis espécies de mamutes nesse grupo. Embora eles tenham surgido na África, no início da Era Glacial não havia mais mamutes naquele continente. O mamute da África do Norte se extinguiu por volta de 1,8 milhão de anos atrás.

Os ancestrais do mamute também se diversificaram em várias outras espécies. Na América do Norte, havia mastodontes. Na América do Sul, eram membros da família do elefante, conhecida como *Gomphotherium*, que tinham presas superiores e inferiores. E é claro que havia a atual espécie de elefante, os elefantes africanos e asiáticos, infelizmente os únicos que sobreviveram de toda a família dos mamutes.

Quando os primeiros restos de mamute foram descobertos na década de 1700, muitos imaginaram que eles ainda estariam vivos em algum lugar, escondidos em um canto remoto do planeta. Embora isso logo se provasse incorreto, muitos outros restos de mamute foram encontrados, e compilou-se uma quantidade significativa de informações sobre eles. Muitas descobertas de mamutes, embora informativas, não passam de ossos e presas, ou carcaças mal preservadas, mas várias foram realmente extraordinárias.

Em 1901, um mamute inteiro e bem conservado foi descoberto na Rússia, próximo da região ártica. Esse espécime tinha 44 mil anos e seu estado de conservação era muito bom quando foi encontrado. Por azar, devido à localização remota, foram necessários três meses para que a equipe de escavação, com seu equipamento, chegasse à carcaça parcialmente descoberta. Quando os escavadores chegaram, ficaram desolados ao ver que o estado da carcaça não era mais tão bom. As presas haviam sido retiradas e vendidas, e a maior parte da cabeça e do dorso fora devorada por lobos. Não surpreende que o fedor fosse terrível.

A equipe de escavação descobriu que era trabalho de mamute (com trocadilho!) extrair a carcaça do *permafrost*. Na verdade, estava além da capacidade deles remover o animal inteiro, e os restos tiveram de ser extraídos aos pedaços, que foram depois levados em trenós puxados por cavalos. Todo o processo levou seis semanas. O mamute foi remontado, empalhado e exibido no Museu de Zoologia de São Petersburgo. Batizado de mamute de Berezovka, era o mais completo mamute já encontrado na época, apesar dos danos que ocorreram antes e durante a escavação.

Várias outras carcaças semicompletas ou parciais de mamute foram descobertas na Sibéria nas décadas seguintes. A descoberta mais espetacular aconteceu em 1977, quando o minerador de ouro siberiano Anatoli Logatchev literalmente bateu, com seu trator, nos restos mortais de um bebê mamute. Com apenas um metro de altura e provavelmente cerca de seis meses quando morreu há uns 30 mil anos, recebeu o apelido de "Dima". Vários cientistas foram ver Dima, entre eles Nikolai Vereshchagin, especialista em mamute do Instituto de Zoologia de Leningrado. Por azar, como o mamute de Berezovka, Dima também se deteriorou um pouco depois da extração. Além disso, a carcaça depois foi embebida em benzeno, que provocou a queda da maior parte de seu pêlo. Todavia ele era — e ainda é — um espécime notável.

Clonagem: um trabalho de mamute

Apesar dos danos, Dima estava tão bem preservado que Vereshchagin e sua equipe decidiram tentar cloná-lo. Isto era muito radical, em especial em 1980, quando ninguém conseguira clonar um mamífero vivo. Os pesquisadores não tinham como saber se seriam bem-sucedidos.

Viktor Mikhelson, do Instituto de Citologia de Leningrado, foi encarregado do projeto de clonagem. Mikhelson e sua equipe decidiram tentar o seguinte método: primeiro, procurariam por uma boa célula adulta de Dima — uma célula cujo núcleo estivesse intacto e o DNA em seu interior, em boas condições; depois removeriam o núcleo de um óvulo de elefante, que seria substituído pelo núcleo da célula de Dima. O embrião, caso se desenvolvesse, seria geneticamente um mamute. Seria então implantado em uma elefanta que, se tudo corresse bem, daria à luz um bebê mamute.

As coisas não saíram inteiramente de acordo com o planejado. Mikhelson e sua equipe conseguiram extrair algum DNA de Dima, o que lhes permitiu, junto com Tomowo Ozawa da Universidade de Nagóia, no Japão, obter alguns novos *insights* sobre as relações evolutivas dos mamutes. Mas, por mais que tentassem, não conseguiam encontrar uma célula intacta o bastante para que a clonagem acontecesse. Admitindo a derrota, Mikhelson passou a acreditar que não seria possível usar células de mamute para uma clonagem bem-sucedida.

Mas de maneira alguma esse foi o fim da história. O cientista japonês Kazufumi Goto não concordou com a avaliação de Mikhelson e decidiu continuar a busca. O método que Goto decidiu usar, porém, era um tanto diferente do que experimentaram Mikhelson e sua equipe.

Em vez de usar o núcleo de uma célula intacta de mamute, Goto pretendia usar espermatozóide de mamute para fertilizar um óvulo de elefante. O embrião em seguida seria implantado em uma elefanta. Se sobrevivesse, a prole resultante na verdade seria meio mamute e meio elefante. Esses híbridos podiam então procriar e seria possível fazer seleção artificial para a produção de um mamute quase puro em apenas três gerações. Goto pode ter decidido tentar o mesmo método de Mikhelson, mas ele achava que era mais provável encontrar espermatozóide congelado do que toda uma célula somática intacta.

Goto tinha motivos para ser otimista sobre as probabilidades de sucesso de seu método. Ele já havia mostrado que o espermatozóide morto de um elefante podia fertilizar um óvulo de elefante vivo. O embrião resultante era implantado em uma elefanta, e nascia um bebê elefante. A dedução era que não estava além do reino da possibilidade que o espermatozóide de mamute, morto e congelado por milhares de anos, pudesse, teoricamente, ser usado para fertilizar um óvulo de elefante vivo.

Mas, mesmo antes de começar, a pesquisa era fértil de possíveis dificuldades. Não estavam de todo claras as condições em que estaria o espermatozóide de mamute, mesmo com a carcaça nas melhores condições possíveis de congelamento. O espermatozóide de algumas espécies é naturalmente mais frágil que o de outras, e seria o mamute uma das mais frágeis? Além disso, será que todo o DNA dentro do espermatozóide estaria intacto, ou irremediavelmente danificado?

Quando Goto começou seus planos de clonar um mamute, a clonagem de animais vivos ainda era uma tecnologia muito nova. Seria possível estender a tecnologia para clonar um animal extinto? Embora hoje tenham sido produzidos vários animais clonados, a clonagem ainda não é um processo simples, e é mais difícil em algumas espécies do que em outras. Seria o mamute uma espécie fácil ou difícil de clonar, mesmo que resolvidos os problemas do uso de tecido antigo?

Em geral, o índice de aborto espontâneo de embriões clonados é alto. Aqueles que sobrevivem até o nascimento costumam ter expectativa de vida curta, devido a uma gama de defeitos de desenvolvimento. Será que um mamute clonado sobreviveria até o nascimento? E quanto tempo viveria depois disso? Que saúde teria um híbrido mamute-elefante? Um híbrido de elefantes asiático/africano tem vida curta; o destino de um híbrido mamute/elefante seria melhor?

Um híbrido mamute/elefante seria fértil? Alguns animais híbridos são inférteis — a mula, por exemplo, um híbrido de cavalo e asno. Se um híbrido elefante/mamute fosse infértil, a criação de mamutes puros seria impossível. Mesmo que um híbrido mamute/elefante fosse tecnicamente fértil, será que isso levaria a uma população fértil de mamutes? Em geral, os elefantes em cativeiro param de reproduzir. Aconteceria o mesmo com o mamute?

Apesar desses possíveis problemas e das objeções de

outros cientistas, que achavam que seria impossível, Goto estava decidido a enfrentar a tarefa de recriar o mamute.

A caça ao mamute perfeito

Para ter sucesso, Goto sabia que precisaria de um mamute extremamente bem conservado. Precisava ser uma carcaça que tivesse sido congelada logo após a morte, antes do começo da decomposição. Era necessário ter estado congelada continuamente desde a Era Glacial, e ainda teria de estar assim quando o cientista a descobrisse e extraísse o espermatozóide. Também teria de ser macho. Nenhum dos mamutes descobertos até então atendiam a esses critérios, então ficou claro para Goto que ele teria que ir à caça do mamute na Sibéria, e descobrir sua própria carcaça congelada.

Inicialmente, Goto teve problemas para encontrar contatos na Rússia, mas, quando se reuniu com Kazutoshi Kobayashi, um executivo japonês, as coisas transcorreram com mais tranqüilidade. Kobayashi tinha gosto pelo incomum — um de seus interesses nos negócios na época era importar besouros cropófagos para limpar os dejetos de gado. Não surpreende que ficasse fascinado com a possibilidade de recriar o mamute. O importante para Goto foi que Kobayashi também tinha contatos na Rússia, essencial para se obter permissão para a busca do mamute. Juntos, os dois homens planejaram uma viagem à Sibéria.

Vários outros pesquisadores se juntaram a sua equipe. Para ajudar na caça propriamente dita, recrutaram Pyotr

Lazarev, um caçador de mamutes experiente da Rússia que tinha aberto um museu de mamutes. Lazarev saberia dos melhores lugares para procurar um mamute e como lidar com o que encontrassem. Para ajudar no aspecto científico, Akira Iritani, biólogo especializado em reprodução, se juntou à equipe.

Iritani preferia um método similar ao original usado por Mikhelson, e pensava que seria melhor tentar obter um mamute puro, pondo DNA de uma célula bem conservada de mamute em um óvulo de elefante após a retirada de seu núcleo. Depois, como pretendia Mikhelson, se um embrião se desenvolvesse, ele poderia ser implantado em uma elefanta. A equipe agora tinha dois métodos possíveis.

À medida que planejavam a viagem à Sibéria, Iritani e o resto de sua equipe ficavam emocionados com as notícias empolgantes de que Dolly, a ovelha, tinha sido clonada. Era animador o fato de as técnicas usadas para produzir Dolly serem semelhantes às que Iritani pretendia usar. Os sinais eram positivos para a equipe. Agora eles só precisavam de uma boa carcaça.

A equipe de pesquisa fez a primeira viagem à Sibéria em 1997, mas não teve sucesso. Sem se deixar abater, fez uma segunda expedição um ano depois. Dessa vez, ficaram triunfantes quando descobriram um pedaço de pele de mamute, mas sua empolgação teve vida curta quando perceberam que era tudo o que restava desse animal específico. Novamente eles voltaram, desestimulados e de mãos vazias.

Enquanto isso, uma equipe diferente de caça ao mamute na Sibéria tinha topado com outra carcaça. Bernard Buigues, operador de turismo no Ártico, também era um caçador entusiasmado de mamutes que por acaso soubera que uma carcaça de mamute fora vista perto de Khatanga, na península de Taimyr. Depois de um exame inicial das partes que se projetavam do *permafrost*, Buigues percebeu que era uma descoberta significativa e pediu a Dirk Jan Mol, ilustre paleontólogo amador holandês, para dar uma olhada.

O mamute, que eles chamaram de Jarkov, ainda estava enterrado no *permafrost*. A equipe queria remover a carcaça inteira, sem descongelá-la, e seria a primeira vez que algo desse tipo seria feito. Em geral, usa-se água quente para derreter o *permafrost* a fim de tornar a extração mais fácil, mas isso destrói informações científicas essenciais, algo que a equipe queria evitar.

Tirar o mamute do gelo sem descongelá-lo não era uma questão simples. Com muita dificuldade, a equipe conseguiu erguer por helicóptero um grande bloco de *permafrost* contendo o mamute, e o levou a Khatanga. Puseram o mamute em uma caverna de gelo escavada na lateral de um morro, onde a cidade costumava guardar seus mantimentos. Era totalmente congelante, perfeita para preservar o mamute.

Teria Jarkov espermatozóides ou células somáticas em boas condições para Goto e seus colegas tentarem cloná-lo? Era impossível saber a princípio, porque a carcaça ainda estava congelada e sólida. As amostras de que Goto e sua equipe precisavam não estavam próximas da superfície, eles então tiveram de esperar, de forma angustiante, até que essa parte do mamute fosse descongelada.

Os pesquisadores começaram a descongelar Jarkov sistematicamente, pedaço por pedaço, usando secadores de cabelo. Infelizmente, logo ficou evidente que Jarkov não daria a resposta que Goto e equipe procuravam. Jarkov, como se pôde constatar, não estava tão intacto quanto a equipe pensara. Na verdade, mal lhe restara tecido corporal, e nem tinha muitos ossos. Clonar Jarkov, por qualquer método, seria quase certamente impossível. A esperança de Goto e seus colegas voltou a ser destruída.

Sinais de sucesso

Descobrir um mamute adequado estava se revelando extremamente difícil, o que significava que as tentativas de clonagem ainda não tinham decolado. Mas, em 2003, o cientista russo Vladimir Repin fez um anúncio que teve enormes implicações para os pesquisadores da clonagem. No verão anterior, duas pernas congeladas de mamute tinham sido encontradas na Rússia, perto de Yakutsk. As pernas bem conservadas, ainda cobertas de pêlos, foram retiradas do chão e postas em um *freezer* no Museu do Mamute em Yakutsk.

Repin e sua equipe começaram uma detalhada pesquisa das pernas. Viram, ao microscópio, o que tudo indicava ser a resposta às orações de Goto: o que pareciam células intactas de mamute. As investigações posteriores, porém, revelaram que essas pernas não estavam em boas condições para a clonagem. Todavia, o trabalho deu aos pesquisadores da clonagem de mamute esperança de que fosse encontrada outra amostra que contivesse células em melhor estado.

A busca pelo mamute perfeito continua, e agora a questão é esperar para ver.

Ética novamente

Pode ser possível que um dia, em breve, clonemos um mamute. Mas, como aconteceu com o tilacino, há questões éticas a serem consideradas — questões que cada vez mais estão envolvidas na clonagem de animal extinto há muitos milhares de anos, como o mamute.

Ninguém sabe, por exemplo, qual seria o temperamento do mamute. E se ele se mostrasse agressivo e extremamente perigoso? A maioria dos especialistas considera provável que um mamute tenha temperamento similar ao do elefante, devido a seu parentesco próximo. Mas ninguém tem certeza, e é arriscado trazer de volta uma espécie de personalidade desconhecida extinta há muito tempo. Pelo menos a personalidade do tilacino não é desconhecida, por causa de sua extinção recente.

Um mamute conseguiria viver tranqüilo em um mundo tão diferente do que existiu quando ele estava vivo? O habitat natural do mamute — a tundra fria e verdejante — não existe mais, a não ser por alguns prados no Tibete. Qualquer mamute clonado seria obrigado a viver em um ambiente artificial de zoológico. É justo trazer de volta um animal que será dependente de um ambiente artificial? Uma solução possível para essa questão está no trabalho do ecólogo russo Serguei Zimov, que espera recriar uma "estepe de mamute" no nordeste da Sibéria, parte de um "parque do Pleistoceno". O trabalho nesse projeto já começou, e até agora há cavalos, alces, renas e bisões no parque. Esses animais estão removendo musgos e arbustos, deixando o espaço limpo para que cresça a relva. Seria esse um lar adequado para um mamute?

Como no projeto do tilacino, há também a questão de saber se os recursos seriam mais bem utilizados em outra coisa, como salvar espécies ameaçadas. A clonagem, a criação e até a manutenção de um mamute representariam uma enorme despesa. Com tantas espécies hoje ameaçadas de extinção, seria eticamente responsável despejar tantos recursos em um projeto desse tipo? A tecnologia envolvida na clonagem de um mamute pode ser mais bem utilizada para clonar espécies criticamente ameaçadas, com a finalidade de aumentar sua população.

Por fim, e se a clonagem de um mamute puser em risco a atual população de elefantes? Uma teoria para a extinção dos mamutes é uma doença letal. Se for verdade, a doença também poderia ser recriada e transmitida aos elefantes? Mesmo que não tenham desaparecido por esse motivo, os mamutes ainda podem ter sofrido de males que os elefantes não têm. Algumas doenças podem ser transmitidas por inseminação artificial — poderia isto levar à transmissão delas aos elefantes? A clonagem de um mamute por certo não é tão simples, se for tecnicamente possível.

Conclusão: de volta ao quaga

Só o tempo dirá se a clonagem será bem-sucedida para trazer de volta uma espécie extinta. Junto com a pesquisa da clonagem, porém, está sendo experimentado um método bem diferente para trazer de volta algumas espécies extintas.

Algumas delas têm parentes muito próximos nos dias de hoje. O trabalho com DNA antigo no quaga, por exemplo, confirmou que ele era uma subespécie da zebra-das-planíceis africana. Reinhold Rau, em trabalho conjunto com Game Wardens, descobriu várias zebras com a aparência de quaga. Em um projeto empolgante que teve início em 1987, eles estão criando esses animais com o objetivo de recriar o quaga.

Para começar, a equipe capturou nove zebras do Parque Nacional de Etosha, levando-as a um centro de reprodução especialmente projetado. Várias ninhadas desde então nasceram, e aquelas com as características mais acentuadas de quaga foram selecionados para continuar a procriar.

Embora estejam confiantes de que em alguns anos poderão produzir um animal *parecido* com um quaga, os pesquisadores não têm certeza do grau de semelhança genética com o animal original. Só foram analisadas pequenas partes do DNA de quaga, então pode ser impossível dizer se eles geraram, no sentido genético, um espécime "verdadeiro". Mas, como o quaga original era definido por sua aparência, Rau e seus colegas raciocinam que, se criarem um animal parecido com ele, podem chamá-lo de quaga com segurança.

Esse método, embora não necessariamente tão drástico quanto a clonagem de um animal extinto, pode ser o primeiro a trazer um animal extinto de volta à vida. O projeto pretende não só trazer o quaga de volta, mas também reintroduzi-lo no meio ambiente. Esse tipo de projeto de criação não pode funcionar com espécies extintas que são muito diferentes de outras espécies vivas, como o tilacino.

Se a pesquisa atual prosseguir, é possível que um dia, num futuro não muito distante, se traga de volta uma espécie recentemente extinta, como o tilacino ou o quaga, ou talvez até um animal extinto há milhares de anos, como o mamute. Mas até que ponto essa tecnologia pode se estender? Será possível clonar uma espécie extinta não há milhares, mas há milhões de anos? Podemos chegar a fazer o impensável e tornar *Jurassic Park* uma realidade? Será que um dia clonaremos um dinossauro?

3

Extravagâncias do Cretáceo

Será mesmo possível clonar um dinossauro?

Em geral, não sou muito fã de ficção científica, mas tenho de admitir que adorei *Jurassic Park*. Nesse filme, cientistas que trabalham em uma ilha remota da costa da América do Sul extraem sangue de dinossauro do aparelho digestivo de insetos aprisionados em âmbar. Eles usam o DNA no sangue para trazer dinossauros de volta à vida, e os dinossauros logo se amotinam, matam todo um bando de gente e destroem um monte de coisas. Foi verdadeiramente maravilhoso. Meus amigos e eu ficamos sentados e fascinados o tempo todo, pulando de susto quando os dinossauros saltavam nas pessoas de trás de paredes e as esmagavam como galhos com suas enormes mandíbulas. Fiquei tão envolvida que, quando saímos do cinema, de certa forma esperava ver dinossauros surgindo dos becos ou nos emboscando dos telhados dos prédios próximos.

A julgar pelo sucesso do filme e pela quantidade de cobertura que ele gerou na mídia, não fui a única a ser cativada por ele. Não é de surpreender, porque os dinossauros têm sido objeto de pasmo e fascínio públicos desde sua descoberta na década de 1800, e a idéia de que possam voltar à vida no mundo de hoje foi adotada de imediato e com prazer por cientistas e pela mídia.

Nos dois primeiros capítulos, concentrei-me no DNA antigo encontrado nos restos de seres vivos que morreram em algum lugar, de algumas décadas atrás, como o tilacino, a criaturas que morreram há dezenas de milhares de anos, como os mamutes e os neandertais. A pesquisa nos mostrou que, sob as condições corretas, o DNA pode sobreviver por um tempo extraordinariamente longo — por muitos milhares de anos, pelo menos.

Os dinossauros, porém, foram extintos não há alguns milhares de anos, mas cerca de 65 milhões de anos. Assim, quanto tempo o DNA pode sobreviver? É possível que o DNA de dinossauro ainda exista, trancado no interior de ossos preservados por um tempo tão inimaginavelmente longo? Se ainda existir DNA de dinossauro, pode chegar a ser usado para criar um dinossauro vivo?

Descobertas de dinossauros

Os primeiros fósseis de dinossauros foram descobertos na década de 1800, cerca de cinqüenta anos antes que fosse encontrado o primeiro esqueleto de neandertal. Mary Anning, uma jovem inglesa de Lyme Regis, na costa de Dorset, costumava ajudar o pai a coletar fósseis na praia perto de sua casa para vender aos turistas que passavam as férias lá. A coleta de fósseis era um passatempo popular, embora na época não fosse possível explicar que fósseis era exatamente ou como ficaram enterrados sob camadas de pedras.

A família Anning era pobre, e vender fósseis era uma boa maneira de complementar o que teria sido uma renda inadequada. A maior parte de suas descobertas era de pequenos ossos, dentes ou conchas isolados, mas um dia o irmão de Mary, Joseph, fez uma descoberta extraordinária. Enterrado na areia estava um enorme esqueleto que parecia de um crocodilo extremamente grande. Mary extraiu o esqueleto com muito cuidado e, para felicidade dela, conseguiu vendê-lo por uma boa quantia.

Os cientistas logo souberam da descoberta e a viram com grande interesse. Seria realmente uma espécie desconhecida de crocodilo, perguntaram-se, ou outra coisa totalmente diferente? De início, a importância da descoberta não foi percebida. Mas isso logo mudou quando foram descobertos, nos anos que se seguiram, vários outros esqueletos curiosos, semelhantes a répteis. Começou-se a perceber que, em determinada época do passado, existira uma população diversa de répteis incomuns, uma população cujos membros não podiam mais ser encontrados em nenhum lugar da Terra. Em 1842, o paleontólogo britânico Richard Owen batizou o grupo de répteis antigos de "dinossauro", do grego, que significa "lagarto terrível".

Cronologia: Uma história pré-histórica

Os primeiros entusiastas dos dinossauros não faziam a menor idéia da verdadeira idade dos esqueletos que estudavam, nem podiam saber da época incrivelmente remota em que as criaturas que os fascinavam existiram. Agora, conhecida como era Mesozóica, ou "vida média", a época dos dinossauros começou há surpreendentes 253 milhões de anos com o surgimento do primeiro dinossauro e terminou com uma extinção em massa por volta de 65 milhões de anos atrás.

A era Mesozóica é dividida em três períodos distintos: o Triássico, que começou 250 milhões de anos atrás e terminou há 210 milhões de anos; o Jurássico, de 210 a 140 milhões de anos atrás; e o Cretáceo, que se estendeu de 140 a 65 milhões de anos atrás.

Os primeiros dinossauros nasceram em uma Terra que era fundamentalmente diferente da de hoje. Há 235 milhões de anos, toda a terra era agrupada, formando o enorme supercontinente Pangéia, que se estendia do Pólo Norte ao Pólo Sul e era inteiramente cercado por um enorme oceano.

Em parte como resultado de diferentes agrupamentos de terra, o clima na época também era diferente. Não havia calotas de gelo nas regiões polares, que tinham clima de monções. Todo o resto era quente e seco. No todo, a Terra era mais quente do que é hoje.

Deve ter sido um mundo muito mais silencioso, uma vez que não havia mamíferos nem aves. A vegetação também era diferente, e se compunha principalmente de fetos e cicadáceas, junto com coníferas pré-históricas. Na verdade, o leque de espécies na Terra era bem pequeno no início da era dos dinossauros como conseqüência de uma recente onda de extinções, mas esse pequeno grupo de espécies abrigava um grupo de répteis antigos que se tornariam os ancestrais de todos os dinossauros.

A árvore genealógica do dinossauro

No início, só havia alguns dinossauros pequenos e semelhantes a lagartos, mas com o tempo a árvore genealógica dos dinossauros ficou cada vez mais diversificada. Os primeiros dinossauros eram pequenos, leves e ágeis, mas com o passar do tempo se tornaram cada vez maiores. O período Jurássico trouxe enormes saurópodes, que eram os maiores dinossauros de todos. Pesavam mais de 70 toneladas e podiam ter 45 metros do focinho à cauda. Os mais famosos e mais temidos dos dinossauros, como o *Tyrannosaurus rex* e os velocirraptores, chegaram relativamente tarde, aparecendo somente perto do final do Cretáceo.

Os dinossauros viveram na Terra por tanto tempo que testemunharam as mudanças ocorridas a seu redor. Primeiro, o desenho dos continentes começou a mudar. Por volta de 155 milhões de anos atrás, no final do Jurássico, a Pangéia estava começando a se dividir em duas, formando a Laurásia, no norte, e a Gonduana, no sul. O clima também mudou. A região equatorial ainda era seca, mas a terra estava muito mais úmida perto dos pólos.

Como conseqüência dessas mudanças climáticas, a vegetação também se alterava. Enormes florestas de coníferas — pinheiros, ciprestes e sequóias — começaram a se diversificar em todo tipo de espécie nova, algumas ainda hoje observáveis. Os fetos ainda eram comuns, e apareceram as plantas com flores pela primeira vez.

No final do Cretáceo, o último período da era dos dinossauros, esses animais já estavam na Terra havia 170 milhões de anos! Compare isso com os seres humanos, que existem há um total estimado de 200 mil anos, e fica claro que os dinossauros eram uma espécie bem-sucedida.

A era tinha visto os dinossauros surgirem a partir de pequenas criaturas parecidas com lagartos até se tornarem animais de todos os tamanhos, inclusive enormes feras muito maiores do que qualquer espécie de hoje. A gama de formatos e tamanhos entre os dinossauros, e os nichos ecológicos em que viviam, era extremamente diversificada. Mas o reino dos dinossauros estava para chegar a um final abrupto há 65 milhões de anos, quando, num piscar de olhos evolutivo, eles desapareceram, praticamente sem deixar vestígios.

Uma extinção verdadeiramente súbita

Tem-se como certo que os dinossauros existiram. Mas por que, depois de 170 milhões de anos de evolução bem-sucedida, eles desapareceram de repente? Como acontece com tantos outros eventos na ciência, este incitou um longo debate. Atualmente, porém, muitos cientistas acreditam que uma enorme catástrofe tenha exterminado os dinossauros.

Acredita-se que esta catástrofe foi o impacto de um enorme meteorito, talvez com 10 quilômetros de extensão. Um dia, como que vindo do nada, ele bateu no planeta, criando imensas nuvens de pó que se levantaram na atmosfera e bloquearam a luz do sol, mergulhando a Terra na escuridão fria. A súbita mudança de clima levou a vegetação a murchar e a morrer, o que por sua vez levou os dinossauros, junto com muitos outros animais, a morrer de fome. O impacto pode ter provocado terremotos ou erupções vulcânicas, ou nuvens de gases tóxicos na atmosfera.

Essa teoria não é apenas especulação, já que foram encontrados alguns indícios convincentes. Em todo o mundo, há uma camada de rochas, de cerca de 65 milhões de anos, rica no raro metal irídio. O irídio não é comum na Terra, mas é encontrado em grande quantidade nos meteoritos — um forte indício de que um grande meteorito atingiu a Terra há aproximadamente 65 milhões de anos, exatamente a época em que os dinossauros se extinguiram.

Para dar mais peso à teoria, os cientistas encontraram uma grande quantidade de grãos de pólen nas rochas pouco abaixo da camada rica em irídio, mas não acima, o que sugere que uma extinção de vegetais em massa ocorreu na mesma época. O fato de muitas espécies de plantas e dinossauros se extinguirem simultaneamente também respalda a idéia de que um evento catastrófico matou os dinossauros.

Os cientistas chegaram a apontar o que acreditam ter sido o local da queda do meteoro. Na península de Yucatán, no México, há uma formação rochosa que parece ser uma cratera gigante de mais de 160 quilômetros de raio. Acredita-se que essa antiga cratera foi feita pelo meteoro que matou os dinossauros.

A extinção dos dinossauros foi quase completa, com uma importante exceção: os ancestrais das atuais aves. O *Archaeopterix* ("pássaro antigo") era um pequeno dinossauro com asas plumosas, datando de 150 milhões de anos atrás, e ao que parece é o ancestral dinossauro das aves de hoje. Outros répteis não-dinossauros, inclusive crocodilos, tartarugas e répteis semelhantes a mamíferos, também sobreviveram. Com os dinossauros extintos, os mamíferos começaram a se diversificar e a atingir um tamanho maior, e logo se tornaram as criaturas predominantes na Terra.

DNA de dinossauro: a próxima fronteira

Agora é hora de avançarmos 65 milhões de anos, aproximadamente, até o início da década de 1990. Em um excelente exemplo de vida que imita a arte, mais ou menos ao mesmo tempo em que *Jurassic Park* se tornou um sucesso do cinema, cientistas da vida real começavam a tentar extrair e analisar DNA de dinossauro. Nos últimos anos, desenvolveu-se o campo relativamente novo da pesquisa de DNA antigo, e o DNA foi extraído com sucesso de uma ampla variedade de animais, aves e plantas extintas. Algumas amostras tinham dezenas de milhares de anos e no entanto ainda continham DNA em boas condições para extração e análise.

Vários cientistas ficaram curiosos com o alcance dessa tecnologia. Haveria um limite para o tempo de sobrevivência do DNA? Será que podia ser encontrado em restos mortais de seres vivos que tivessem não só milhares, mas milhões de anos? Ninguém sabia até que ponto do passado essa empolgante tecnologia podia ser estendida, mas uma coisa era certa: os limites estavam para ser seriamente testados.

Supondo-se que podia ser feito, por que os cientistas sentem a necessidade de extrair DNA de restos tão antigos? Que benefício pode ser obtido dessa pesquisa? É bem seguro pressupor que grande parte da atração desse tipo de trabalho era a mera emoção e a excitação de ver o que era possível. Expandir as fronteiras da ciência pode ser bastante desafiador, e essa era uma senhora fronteira a ser expandida. Mas, sobretudo, o DNA de dinossauro podia ser muito útil para responder a uma série de perguntas científicas.

Pela comparação do DNA de dinossauro com o de espécies atuais finalmente podemos saber, com algum grau de certeza, que espécies existentes são mais estreitamente relacionadas com os dinossauros, tema que tem sido acaloradamente debatido. Essas comparações podem também confirmar ou refutar teorias atuais sobre as origens e as histórias evolutivas de várias espécies de hoje. Por fim, havia uma grande questão a respeito do uso de DNA para clonar um dinossauro.

Fontes de DNA de dinossauro

Em *Jurassic Park*, os cientistas extraem DNA de sangue de dinossauro aprisionado no aparelho digestivo de insetos sepultados em âmbar. Na vida real, os cientistas começaram a ver os fósseis de dinossauro como possíveis fontes de DNA. Mas os pesquisadores que planejaram o trabalho sabiam que teriam de superar alguns grandes desafios antes que o verdadeiro trabalho começasse.

Uma das maiores barreiras ao sucesso da pesquisa era que o processo de fossilização substitui os componentes orgânicos naturais dos ossos por minerais inorgânicos, inclusive silício e cálcio. Embora os ossos fossilizados se pareçam muito com o que eram antes, quimicamente não são a mesma coisa. O material orgânico original se dissolve, inclusive o DNA antes presente ali. A maioria dos ossos de dinossauro é fossilizada até o núcleo e não há possibilidade de se extrair DNA deles, a despeito da tecnologia usada.

Mas haveria esperança de sucesso se fosse encontrado um osso de dinossauro que não estivesse totalmente fossilizado. Um osso desse tipo podia conter parte do DNA original em seu núcleo não fossilizado. Além disso, pensaram os cientistas, talvez as partes externas fossilizadas tivessem protegido o interior contra a água e o oxigênio, dois elementos que costumam levar o DNA a se romper rapidamente. Dessa forma, o DNA de dinossauro podia estar em boas condições, mesmo depois de milhões de anos.

Em 1991, Mary Schweitzer, aluna de pós-graduação no Museu das Montanhas Rochosas na Universidade Estadual de Montana, fez uma fascinante descoberta que deu considerável respaldo a essa idéia. Ela examinou uma fina fatia de osso de um *Tyrannosaurus rex* de 65 milhões de anos sob o microscópio, e quase não acreditou no que viu. Ali, no centro do osso antigo, havia o que pareciam ser glóbulos vermelhos. Será possível, perguntou-se ela, que essas células ainda tenham DNA?

O osso de Schweitzer não era a única fonte potencial de DNA de dinossauro: foram descobertos vários outros ossos de dinossauro que não estavam totalmente fossilizados e também pareciam conter parte de suas estruturas orgânicas originais. Será que também teriam DNA de dinossauro?

Indícios vegetais

Além desses sinais encorajadores, os que estavam à procura de DNA de dinossauro tiveram outro motivo para ter esperança. Enquanto planejavam seus experimentos e davam início ao trabalho, começaram a surgir relatos sugestivos de que em certas condições era de fato possível que o DNA sobrevivesse aos milhões de anos que os pesquisadores esperavam. Tudo indicava que o DNA fora encontrado em alguns fósseis de plantas e insetos extremamente antigos.

O primeiro desses relatos veio de uma equipe de cientistas liderada por Edward Golenberg, da Universidade da Califórnia. Golenberg e sua equipe trabalhavam com fósseis vegetais dos leitos de fósseis de Clarkia, ao norte de Idaho. Os leitos de Clarkia têm uma grande quantidade de fósseis de plantas incrustados em sedimento de argila embebido em água, que antigamente formavam o fundo de um antigo lago cercado de mata tropical. Os fósseis de Clarkia tinham pelo menos 17 milhões de anos e estavam depositados ali, saturados de água e sem oxigênio, desde o dia em que afundaram no lago.

Golenberg e sua equipe ficaram muito interessados em fósseis de "compressão de folhas", que eram extraordinariamente bem conservados. Apesar da idade, essas folhas fossilizadas ainda continham estruturas intrincadas, como paredes celulares, e muitos de seus componentes orgânicos estavam intactos. Os fósseis estavam em condições tão boas que, quando foram extraídos da argila, ainda eram verdes.

Dado seu incrível estado de conservação, Golenberg teve esperança de que os fósseis pudessem ainda conter parte de seu DNA original. Como primeiro objeto de teste, selecionaram uma folha fossilizada de uma espécie extinta de magnólia. Para que tivessem a melhor probabilidade de extrair DNA dela, realizaram os primeiros experimentos de extração minutos depois de retirar o fóssil do sedimento. A exposição ao ar pode destruir rapidamente o DNA, e a equipe queria fazer o possível para aumentar suas chances de sucesso.

A análise no laboratório levou a equipe à conclusão animadora de que tiveram sucesso em sua busca. Os resultados indicaram que haviam encontrado DNA similar, embora com diferenças sutis, do DNA de espécies existentes de magnólia. Isso fazia sentido biológico, e era razoável concluir que o DNA que eles extraíram era na verdade de uma espécie extinta.

Para Golenberg e sua equipe, e para os pesquisadores de DNA de dinossauro, tratava-se de um resultado muito empolgante. Aqui estava o primeiro indício de que o DNA pode sobreviver não só a milhares, mas a milhões de anos. Tudo levava a crer que as fronteiras da pesquisa do DNA antigo podiam ser verdadeiramente expandidas para além do que os pesquisadores ousavam esperar. Embora os fósseis vegetais de 17 milhões de anos fossem muito mais novos que os fósseis de dinossauro mais recentes (todos com mais de 65 milhões de anos), ainda era um sinal positivo de que poderiam encontrar DNA de dinossauro. E sinais mais positivos ainda estavam por vir.

Logo outra equipe de cientistas americanos publicou um segundo relato de DNA extraído de um fóssil de Clarkia, dessa vez da folha de uma espécie antiga de cipreste-dos-pântanos. Alguns anos depois, uma equipe francesa também relatou ter conseguido extrair DNA de fósseis antiqüíssimos de compressão de plantas, mas dessa vez de uma localização completamente diferente, em Ardèche, na França. Como os de Clarkia, os fósseis de Ardèche estavam incrivelmente bem conservados, e fósseis animais são encontrados ali, bem como uma variedade de plantas. Os fósseis de Ardèche são um pouco mais novos que os de Clarkia (cerca de 8 milhões de anos), mas ainda são espécimes extremamente antigos de DNA a ser encontrados.

Agora existem três relatos de DNA de planta de milhões de anos, de duas regiões diferentes do mundo. Antes deste trabalho, o mais antigo DNA veio de restos de mamute de 40 mil anos, o que é bastante impressionante, mas sua idade não chega perto do DNA de plantas fósseis.

Indícios em insetos conservados em âmbar

Os indícios estavam começando a se acumular em respaldo à idéia de que o DNA podia sobreviver mais tempo do que qualquer um ousara imaginar. O animador é que outros indícios estavam a caminho, porque, ao mesmo tempo que a pesquisa de DNA de fósseis de compressão de plantas era realizada, várias outras equipes de pesquisa se ocupavam de investigar o potencial de uma nova fonte animadora de DNA superantigo. Em um cenário de cinema, os cientistas concentravam sua busca em insetos aprisionados por milhões de anos em âmbar.

Em *Jurassic Park*, os cientistas usaram insetos sepultados em âmbar como fonte de DNA de dinossauro. A idéia era de que milhões de anos atrás um inseto picou um dinossauro, retirou sangue, engoliu-o e depois ficou preso em âmbar e morreu antes de digerir o sangue. Na realidade, embora muitos insetos preservados em âmbar tenham sido encontrados, nenhum tinha sangue no estômago, de dinossauro ou qualquer outro. Era portanto impossível sequer pensar em tentar usar insetos presos em âmbar para obter amostras de sangue de dinossauro. O que os cientistas da vida real estavam fazendo com os insetos era talvez menos sensacional do que procurar DNA de dinossauro, mas igualmente interessante — tentavam extrair DNA superantigo dos próprios insetos.

O âmbar é a forma fossilizada de resinas vegetais, secreções que endurecem quando expostas ao ar. As resinas têm muitos usos industriais, por exemplo como ingrediente em solventes de tinta, inseticidas e vernizes. Acredita-se que o propósito natural da resina, porém, é proteger a planta dos ataques de pragas e de insetos, aprisionando estes antes que possam causar danos. A resina também age como uma espécie de emplastro adesivo biológico para as plantas, formando e endurecendo quando a casca é danificada, protegendo assim a lesão.

Com o tempo, alguns tipos de resina de árvore podem se fossilizar em âmbar. Só alguns tipos sobrevivem por tempo suficiente para que isso ocorra, mas o âmbar fossilizado é particularmente estável e pode durar milhões de anos, em particular se está no subsolo. Já se encontrou âmbar de mais de 85 milhões de anos.

A maior parte do âmbar mais antigo já encontrado data do período Cretáceo, a fase mais recente da era dos dinossauros. Algumas descobertas datam de um período anterior, Jurássico ou Triássico, mas o âmbar dessa idade em geral não está bem conservado. Âmbar de muitos milhões de anos foi encontrado em várias regiões do mundo — América do Norte, Líbano, Canadá, Europa e Ásia —, e é minerado e vendido em vários locais no mundo todo.

O âmbar age como um maravilhoso conservante natural. À medida que a resina vegetal endurece, os objetos presos nela são protegidos da deterioração e incrivelmente bem conservados. Em insetos aprisionados em âmbar, por exemplo, complexas estruturas corporais foram descobertas ainda intactas, descendo a partes minúsculas e isoladas de células — verdadeiramente surpreendente para um inseto que morreu há mais de 10 milhões de anos. Esse nível de conservação é possível porque o âmbar desidrata e embalsama o inseto praticamente no momento em que morre.

Muitas coisas foram encontradas presas em âmbar, inclusive gramínea, folhas, sementes, aranhas, sapos, lagartos, escorpiões — até um cogumelo. A maior parte dos insetos que ficaram presos é de espécies de mosquitos. Todos parecem intactos, quase como se estivessem vivos.

Graças a esse grau de conservação, e os sucessos recentes no campo da pesquisa do DNA antigo, é natural que os pesquisadores fiquem curiosos para saber se o DNA de insetos sepultados em âmbar também estaria preservado. Vários especialistas consideraram isso muito provável, e assim teve início a pesquisa.

O processo de extração

Um dos pesquisadores envolvidos nesse trabalho era Rob DeSalle, curador associado do Museu Americano de História Natural, em Nova York. Em seu livro *The science of Jurassic Park and the Lost World*, de 1997, DeSalle fala em detalhes de sua pesquisa com DNA extraído de insetos em âmbar.

O primeiro passo para tentar extrair DNA, segundo explica DeSalle, é abrir com cuidado o âmbar para ter acesso ao tecido de inseto em seu interior. É fundamental que esse trabalho seja feito sob condições absolutamente estéreis, para evitar que o DNA disperso contamine o experimento.

O DNA disperso pode ser encontrado praticamente em tudo no ambiente onde estiveram seres vivos, o que significa, é claro, quase todo lugar da Terra. O DNA vem de qualquer coisa e de tudo que é ou foi vivo: animais vivos e os restos de animais mortos, pele, células, cabelos e pêlos, partes de plantas, bactérias, à escolha. Posso garantir que você está sentado em um mar invisível de DNA neste exato momento. Arranhe sua mão e libere algumas células da pele e conseguirá mais. Arranque um fio de cabelo de sua cabeça e deixe que ele caia no chão — outra gota no mar de DNA. Espalhe um pouco de terra do jardim no tapete e você terá acrescentado DNA de planta, DNA de bactérias e uma boa dose de DNA de fungos.

Agora você sujou seu tapete, então terá de usar o aspirador. Vá em frente, e enquanto isso o aspirador de pó espalhará o DNA disperso por cada canto de sua casa. Tente, eu garanto que é divertido.

Na maior parte do tempo, esse DNA disperso não causa problemas para quem quer que o encontre, e é provavelmente por isso que você nunca percebeu que essa carga de DNA está flutuando pelo ambiente. Mas, no trabalho com DNA antigo, o DNA disperso pode ser um problema enorme, por causar um fenômeno conhecido simplesmente como contaminação.

No trabalho com DNA antigo, é essencial garantir que só o da amostra seja utilizado. Quando DNA externo é utilizado em um experimento, diz-se que os resultados foram contaminados. Isso pode levar a resultados imprecisos e o experimento, que consumiu tempo e em geral foi caro, precisa ser repetido. Para tentar garantir que isso não aconteça, todo o trabalho com DNA antigo é realizado em condições laboratoriais estéreis que tenham o mínimo possível de DNA disperso.

Assim, em um laboratório estéril, nosso pedaço de âmbar com seu inseto carona é mergulhado em nitrogênio líquido para que fique extremamente frágil e rache de modo a expor o inseto. Pedaços do inseto podem então ser retirados e colocados em tubos de ensaio selados e estéreis. Nessa fase, qualquer DNA no inseto pode ser extraído e analisado, assim como em outro experimento com DNA.

DeSalle e outros pesquisadores começaram a trabalhar numa série de amostras de âmbar muito antigas. A equipe de DeSalle conseguiu extrair pequenos fragmentos de DNA de um térmite incrustado em âmbar de 30 milhões de anos e, posteriormente, de um mosquito encerrado em âmbar. Outras equipes de pesquisa também conseguiram extrair DNA de vários insetos sepultados em âmbar, inclusive uma abelha com 25 a 40 milhões de anos e um besouro e um gorgulho que tinham ambos aproximadamente 125 milhões de anos.

Agora o DNA superantigo foi encontrado em várias amostras provenientes de tipos completamente diferentes de fósseis. Será que os pesquisadores de DNA de dinossauro também teriam tanta sorte?

Agora, os dinossauros

A bem-sucedida extração de DNA superantigo de fósseis de vegetais e de insetos em âmbar espicaçou os pesquisadores do

DNA de dinossauro. Na verdade, como acontece com freqüência com uma nova e empolgante pesquisa científica, várias equipes de cientistas começaram a competir para ver quem seria o primeiro a extrair DNA de um osso de dinossauro.

Scott Woodward, da Universidade Brigham Young, em Utah, foi um dos cientistas que se uniram à disputa. Mas, antes que pudesse dar início à pesquisa, tinha de pôr as mãos em um osso adequado de dinossauro.

Por sorte, Woodward tinha um amigo geólogo que trabalhava em uma mina de carvão próxima, a quem pediu para ficar de olho em qualquer osso encontrado em carvão que fosse uma possível fonte de DNA, já que o carvão podia ter protegido o DNA dos ossos da ação do oxigênio.

Woodward logo recebeu a notícia animadora de que um grande esqueleto havia sido encontrado no teto da mina. O esqueleto tinha cerca de 80 milhões de anos e portanto pertencia a um dos últimos dinossauros do período Cretáceo, a fase mais recente da era dos dinossauros. Por azar, os ossos estavam tão fragmentados que não foi possível determinar exatamente a que espécie pertenciam.

Todavia, Woodward e sua equipe começaram a trabalhar com dois fragmentos do esqueleto. Com cuidado, removeram pequenos pedaços de osso de cada um dos fragmentos e os examinaram ao microscópio. Por sorte, o osso não parecia estar totalmente fossilizado, com estruturas que até pareciam núcleos celulares intactos. O importante é que não havia sinal de o material orgânico no osso — inclusive DNA — ter sido substituído por minerais inorgânicos, o que costuma acontecer durante a fossilização.

Em seguida os pesquisadores retiraram vários pedaços pequenos de dentro dos fragmentos do osso, prontos para tentar a extração de DNA. Transformaram os pedaços de osso em um pó fino com um bastão de vidro e, da mesma forma básica utilizada em qualquer outro experimento de DNA, adicionaram substâncias para extrair o DNA. Para indubitável deleite de Woodward, o resultado desse trabalho foi a extração de vários fragmentos de DNA.

Woodward então comparou as seqüências de fragmentos de DNA com seqüências de DNA provenientes de uma ampla gama de animais, aves e répteis, guardados em um grande banco de dados chamado GenBank, um incrível recurso acessível pela Internet a todos os pesquisadores de DNA. As seqüências dos fragmentos de DNA de Woodward se revelaram bem diferentes das seqüências de DNA de qualquer outro mamífero, ave ou réptil. Na realidade, disse Woodward, esse DNA não era "nada parecido com o que vimos antes". A natureza singular das seqüências que apareceram nesse experimento deixou Woodward otimista acerca de realmente haver encontrado DNA de dinossauro, que não devia combinar com o DNA de nenhuma espécie conhecida. Uma combinação indicaria que o DNA na amostra de Woodward não era de um dinossauro e que fora contaminada com DNA disperso de uma espécie atual.

Logo depois do anúncio triunfante de Woodward, uma equipe de cientistas chineses, da Universidade de Pequim, anunciou também ter extraído DNA de dinossauro, proveniente do interior de um ovo de dinossauro do Cretáceo encontrado na província de Henan. Agora havia dois relatos de extração de DNA de dinossauro, de diferentes equipes de cientistas em diferentes partes do mundo.

De Jurassic Park à realidade: a clonagem de dinossauros

Não é todo dia que se anuncia a descoberta de DNA de dinossauro preservado por dezenas de milhões de anos dentro de um osso antigo, e assim não foi surpresa que as notícias da descoberta gerassem um enorme interesse. O anúncio também levou à grande questão na cabeça de muitas pessoas: isso significava que *Jurassic Park* podia se assemelhar à vida real? Seria possível agora clonar um dinossauro?

Infelizmente, as coisas nunca são tão simples como parecem, e o fato de o DNA de dinossauro ter sido encontrado não significa que é possível recriá-lo. A clonagem de um dinossauro de forma alguma seria tão fácil quanto nos filmes.

Um problema é que não se sabe quais são os processos de desenvolvimento dos dinossauros e não há espécie viva hoje que estejamos seguros de ser tão semelhante a eles a ponto de servir de modelo para o sistema reprodutor do dinossauro. Um problema ainda maior, como também acontece com o projeto de clonagem do tilacino, é que, para clonar um dinossauro, todo o DNA do seu genoma — o conjunto completo de genes que o compõem — teria de ser conhecido. Os relatos lidam com apenas uma pequena fração do DNA do dinossauro, o que significa que a clonagem seria impossível a não ser que pudéssemos descobrir uma quantidade muito maior de informação. Não há garantias de que nem mesmo uma fração dessas informações ainda existam.

No entanto, os anúncios criaram um frenesi na mídia. Quer pudesse ou não ser recriado, o fato de o DNA de dinossauro ter sido extraído de ossos que tinham dezenas de milhões de anos era verdadeiramente extraordinário. Mas, em meio à exaltação e à empolgação, também se ouviam as vozes de vários críticos em alto e bom som. Uma tempestade estava se formando no horizonte.

Cientistas céticos

Muitos cientistas ficaram céticos, questionando se o DNA de dinossauro ainda podia existir, em qualquer osso de dinossauro, em qualquer lugar, para ser extraído. Uma de suas maiores objeções era o fato de as previsões experimentais indicarem a impossibilidade técnica de sobrevivência do DNA a qualquer coisa em torno dos milhões de anos com que contavam os caçadores de DNA de dinossauro, quer fossem ou não ideais as condições e o espécime preservado.

O anúncio de que o DNA de dinossauro tinha sido encontrado de nada adiantou para calar os céticos. O problema do tempo de sobrevivência esperado do DNA não desaparecera. Para os céticos, devia haver outra explicação para os resultados dos experimentos.

Vários grupos independentes — um deles incluindo Mary Schweitzer, que descobrira estruturas semelhantes a glóbulos vermelhos em um osso de dinossauro — decidiram reanalisar os resultados de Woodward para ver o que podiam fazer com eles. Os resultados desses grupos não foram nada bons para o trabalho com DNA de dinossauro, lançando sérias dúvidas sobre sua validade. Tudo indicava que o que Woodward e sua equipe haviam pensado ser DNA de dinossauro podia não ser nada disso.

Os pesquisadores raciocinaram que, se o DNA era de um dinossauro, então, como Woodward assinalara corretamente, devia ser diferente do DNA de espécies atuais. Mas, embora singular, o DNA de dinossauro devia seguir o princípio de que teria semelhança com o DNA de espécies mais estreitamente relacionadas do que com seus parentes mais distantes. Isso significava que o DNA de dinossauro devia ter alguma semelhança com o de aves e crocodilos, porque se acreditava que esses eram os seres vivos mais proximamente aparentados com os dinossauros. Na verdade, o DNA de dinossauro devia ser mais semelhante ao de ave, porque as aves eram consideradas descendentes diretas dos dinossauros.

O que a reanálise revelou foi que o DNA "de dinossauro" não tinha nenhuma semelhança maior com o de aves, nem de crocodilos. Na verdade, era mais semelhante ao DNA *humano* do que ao de qualquer outra espécie. Tudo levava a crer que os pesquisadores não haviam trabalhado com DNA de dinossauro; que o que eles pensavam ser DNA de dinossauro era na verdade derivado de DNA humano disperso, possivelmente até o deles mesmos.

Não causou surpresa que Woodward e seus colegas discordassem das conclusões da reanálise. Eles afirmaram que a relação entre dinossauros, aves e répteis é apenas teórica. Só porque seu DNA "de dinossauro" não correspondia ao que seria teoricamente esperado, não era prova de que eles não tinham extraído um DNA genuíno de dinossauro. Eles se prenderam a seu trabalho e à interpretação original.

Só havia uma maneira de dar um fim à discussão, o que significava que os experimentos fossem repetidos em outro laboratório. Para o DNA de dinossauro ser aceito por todos como autêntico, seria necessário repetir os experimentos originais de Woodward em um laboratório independente para ver se os mesmos resultados podiam ser encontrados, sendo o princípio subjacente o de que, se o DNA de dinossauro tivesse de fato sido encontrado, seria confirmado por outra equipe de pesquisa.

Infelizmente, o resultado da repetição dos experimentos não fez mais que fortalecer a posição da crítica, porque não se conseguiu encontrar o DNA que apareceu nos resultados de Woodward.

Não demorou muito para que o outro trabalho com DNA de dinossauro seguisse o mesmo caminho. O DNA do ovo de dinossauro chinês também foi reanalisado. Como aconteceu com Woodward, os pesquisadores compararam em mais detalhes o DNA "de dinossauro" dos chineses com uma série de DNA de outras espécies vivas. Dessa vez, ficou claro que o DNA presente nos resultados tinha se originado de contaminação por DNA disperso — o DNA de "ovo de dinossauro" combinava perfeitamente com DNA de plantas e fungos. Era cada vez mais provável que o DNA de dinossauro jamais fosse encontrado.

Em uma guinada cruel, logo também foram levantadas dúvidas sobre as outras fontes de DNA superantigo. Dois especialistas em DNA, Svante Pääbo e Allan Wilson, que eram céticos quanto ao trabalho com DNA superantigo, assinalaram um problema significativo com os fósseis de compressão de folhas — eles ficaram submersos em água por milhões de anos.

Sabe-se bem que o DNA costuma degradar rapidamente em condições de umidade; graças a isso, foi difícil para Pääbo e Wilson aceitarem que o DNA podia ter sobrevivido nos fósseis de compressão, por certo não durante os milhões de anos de existência desses fósseis.

Porém, eles contavam que o DNA de fóssil vegetal pudesse ser autêntico, dizendo que a pressão a que os fósseis foram submetidos talvez tivesse obrigado toda a água a perder contato com os fósseis e o DNA. Mas essa era uma hipótese que consideravam remota.

Pääbo e Wilson tentaram reproduzir os resultados da equipe anterior extraindo DNA vegetal dos fósseis de Clarkia. Não conseguiram extrair nenhum DNA de planta.

Por fim, o DNA de insetos em âmbar seguiu a mesma direção. Os resultados dos experimentos não puderam ser reproduzidos, e a conclusão foi de que também esse trabalho foi afetado por contaminação de DNA.

Em resumo, nenhum dos experimentos que descobriram DNA superantigo foi reproduzido com sucesso.

E o que aconteceu de errado?

Esse foi um enorme golpe para os pesquisadores do DNA superantigo. Como um erro desses pôde acontecer? Como foi possível que várias equipes de pesquisadores passassem a acreditar ter extraído DNA de âmbar ou de ossos antigos de dinossauros, quando o que estavam vendo nada mais era do que DNA disperso?

No trabalho com DNA antigo, é extremamente fácil confundir DNA disperso como o genuíno da amostra em questão. Alan Cooper, o pesquisador de DNA antigo a que me referi na Introdução, foi um dos que se envolveram na reanálise do DNA "de dinossauro". Cooper visitou a Nova Zelândia recentemente e eu tive a sorte de ouvi-lo falar no rádio e em minha universidade sobre o que havia de errado.

Como mencionei antes, o DNA nas amostras usadas para análise de DNA antigo é com freqüência danificado, e pedaços podem se perder ou se alterar simplesmente devido à idade do espécime. Assim, os pesquisadores de DNA antigo em geral se vêem com muito pouco material com o qual trabalhar. Isso pode tornar a pesquisa extremamente difícil, por não haver DNA suficiente para permitir que os experimentos sejam realizados de forma adequada.

"O jeito de contornar isso", explica Cooper, "é usar uma tecnologia chamada PCR, ou reação em cadeia da polimerase." Trata-se de uma técnica em que se começa com uma pequena quantidade de DNA extraído de uma amostra antiga e, pelo uso de enzimas, faz-se milhões de cópias dele.

Depois que o processo de PCR é concluído, há uma quantidade enorme de material para se trabalhar — em tese, todas cópias exatas do DNA da amostra original. Significa que, segundo Cooper, "você conseguiu o bastante para começar a brincar".

"Mas", acrescenta ele, "há um pequeno problema com isso". A quantidade de DNA antigo presente, para começar, é muito pequena. Mas, como em outros lugares, no ambiente de laboratório há uma grande quantidade de DNA disperso flutuando por ali: células cutâneas dos pesquisadores, restos de experimentos anteriores e vestígios de bactérias e fungos no ar. O risco é de que o processo de PCR possa, por acidente, copiar parte do DNA disperso, em vez do DNA antigo da amostra em questão.

Em geral o PCR é bastante preciso e se concentra somente no fragmento do DNA que o pesquisador quer copiar, por exemplo o DNA de uma amostra antiga. Mas podem acontecer erros, e o DNA errado é copiado. Quando o pesquisador examina o material copiado, ele pode pensar que é, por exemplo, DNA de dinossauro, quando na verdade pode não ser; em vez disso, a amostra pode estar contaminada com DNA disperso.

O que pode acontecer, explicou Cooper, é que quando se obtém um resultado obviamente contaminado — por exemplo, caso se suponha que o DNA é de uma planta extinta, mas combina com DNA bacteriano ou humano —, ele é descartado e o experimento, realizado novamente. Se isso acontece um número suficiente de vezes, por fim os pesquisadores estão praticamente seguros, por mero acaso, de conseguir DNA que não combine com nada que possam identificar. Por ser único, é então fácil concluir que o que se obteve foi o DNA da amostra em questão — porém, como assinala Cooper, "de forma alguma isso significa que é verdadeiro". Enquanto prosseguia o trabalho com DNA superantigo, Cooper achava que todos os resultados se deviam à contaminação, e não a autêntico DNA superantigo.

O que começou como uma empolgante série de descobertas de DNA antigo foi transformada em uma constrangedora série de erros. Muitos pesquisadores de DNA antigo estavam ficando muito irritados, enquanto a credibilidade de todo o campo era posta em dúvida.

Como resultado, foram feitos apelos para que ocorressem mais verificações antes da publicação de resultados. A prioridade era fazer o que fosse possível para evitar a contaminação de experimentos de DNA antigo com o disperso. O laboratório do próprio Cooper, no Centro de Biomoléculas Antigas da Universidade de Oxford, tem um esquema de prevenção de contaminação muito moderno: os pesquisadores trocam de roupa e vestem trajes especiais antes de entrar, e a área onde o DNA é extraído é isolada da área onde se realiza o PCR para evitar contaminação cruzada das amostras e do equipamento de PCR.

Mas, apesar dessas precauções, Cooper admite que a contaminação ainda é um grande problema na pesquisa de DNA antigo. Até os pesquisadores são possíveis fontes de contaminação. "Nós mesmos somos incrivelmente sujos", diz ele. Abrigamos DNA o tempo todo "no suor, na pele, quando se respira, no cabelo que cai, é um grande problema de contaminação".

A segunda exigência importante de todos os experimentos de DNA antigo atualmente é a reprodução dos resultados. Para que uma descoberta seja digna de crédito, deve ser repetida por um laboratório independente. Se o mesmo DNA aparecer nos resultados nas duas ocasiões, trata-se de um bom indício de que os resultados são genuínos.

A vida limitada do DNA

Os pesquisadores de hoje ainda não abandonaram a esperança de um dia encontrar DNA em restos tão antigos quanto ossos de dinossauros. A maioria dos pesquisadores agora admite que, embora possa durar bastante tempo, o DNA um dia se degrada, em especial quando exposto à água e ao oxigênio. "Se você puser DNA em água e observar o que acontece", diz Cooper, "verá que ele se rompe rapidamente." Porém, assinala, quanto mais baixa a temperatura, mais lenta é a decomposição.

Até hoje, as seqüências de DNA antigo genuínas foram extraídas de espécimes encontrados em *permafrost*, em condições que desaceleram bastante a degradação natural de climas mais quentes. Assim, qual é o limite de tempo para o DNA antigo? "Em condições de *permafrost*, descobrimos que podemos voltar a mais de 100 mil anos", diz Cooper. "Isso significa algumas eras glaciais atrás. Sob condições de frio, como os espécimes preservados em cavernas e no alto de montanhas, é um pouco menos, algo em torno de 80 mil anos (...) sob condições de calor, cerca de 15 mil anos

(...) e sob condições de calor excessivo, provavelmente menos de 5 mil anos."

E assim, infelizmente, hoje se acredita que o DNA nunca será encontrado em restos de ossos e ovos de dinossauros. Será que isso significa que é impossível que um dinossauro um dia possa ser recriado? Sem dúvida sugere que ele não pode ser produzido diretamente com o uso de DNA antigo. Mas Matt Ridley, escritor de obras de divulgação científica, especula que pode haver um método completamente diferente que dê alguma esperança.

Embora os dinossauros estejam extintos, é possível que muitos de seus genes ainda existam hoje no DNA das aves — os aparentes descendentes dos dinossauros. Um dia, quando se souber muito mais sobre o funcionamento do DNA e dos genes na produção das características nos seres vivos, talvez seja possível pinçar, através de engenharia genética, DNA de aves aqui e ali para destacar os genes de dinossauros que ainda restem e recriar um dinossauro dessa forma. Parece impossível? Certamente é difícil, e está além da capacidade do conhecimento e da tecnologia de hoje; mas ainda resta esperança de que um dia os dinossauros possam ser recriados. Mas permanece uma questão — será que queremos — ou devemos — fazer isso?

O DNA antigo, ao que parece, agora recebeu um prazo limite. Embora possa ser descoberto em restos tão antigos quanto os neandertais e em animais da Era Glacial, provavelmente não pode ser extraído de restos muito mais antigos do que isso, e por certo não naqueles tão antigos quanto os de dinossauros. Como conseqüência dos novos critérios para garantir a precisão da pesquisa de DNA antigo, caiu o número de alegações de DNA excepcionalmente antigo. Em vez disso, os pesquisadores da área têm se concentrado em espécimes mais recentes, como ossos de neandertais de 30 mil anos, e têm tido muito mais sucesso.

Como mencionei no capítulo 2, uma área em que os pesquisadores de DNA antigo conseguiram um sucesso considerável foi a extração de DNA de espécies extintas de animais, insetos e aves, inclusive de meu amigo, o moa, discutido no próximo capítulo. O moa é uma das aves terrestres mais incomuns que o mundo já viu e, embora muita coisa tenha sido descoberta sobre ele, há várias áreas de incerteza persistente. Quais são suas verdadeiras origens? Qual a sua relação com o icônico quivi da Nova Zelândia? Quantas espécies de moa existiram? Depois de anos de uma incerteza frustrante, a pesquisa de DNA antigo está finalmente dando algumas respostas a essas perguntas.

4

A GRANDE AVE

A revelação dos mistérios do moa da Nova Zelândia

À primeira vista, não se imaginaria possível confundir o moa com um boi. Mas foi precisamente por meio desse erro improvável que o moa ficou conhecido da ciência.

Em 1839, um único osso quebrado de moa foi entregue ao eminente cientista inglês Richard Owen pelo dr. John Rule, um médico londrino. Rule recebera o misterioso fragmento de osso do sobrinho, John W. Harris, que estava morando e trabalhando na Nova Zelândia, na costa leste da ilha North. O osso foi encontrado em um leito de rio e entregue a Harris, que ouviu dos maoris locais que pertencia a uma grande ave extinta.

Owen foi uma escolha óbvia para Rule entregar o osso. Nascido em 1804, ele teve formação de cirurgião mas, felizmente para a ciência, decidiu se tornar anatomista e paleontólogo. Entre suas muitas habilidades e realizações, Owen tinha uma queda por apontar as semelhanças anatômicas entre as diferentes espécies. Foi ele quem desenvolveu a idéia de que todos os vertebrados têm um "projeto de corpo" semelhante, com diferentes especializações para diferentes estilos de vida. Owen reconheceu, por exemplo, que a estrutura básica de uma asa de ave, de um braço humano, de uma perna de cachorro e de uma nadadeira de golfinho eram iguais. O trabalho revolucionário de Owen nessa área ajudaria Charles Darwin a desenvolver a idéia de que essas estruturas comuns eram prova de um ancestral comum — uma idéia de enorme importância para sua teoria da evolução. Owen também cunhou o termo "dinossauro"; e foi uma importante força por trás da fundação do Museu de História Natural de Londres.

É de se supor, para seu posterior constrangimento, que, no começo Owen não tinha pensado grande coisa do pequeno espécime quebrado de Rule, desprezando-o como um osso de boi em vez de um osso de uma espécie desconhecida de ave gigante. Justiça seja feita, Rule insistiu que estavam olhando para o espécime de uma ave extinta, muito grande e inteiramente desconhecida. Em análises adicionais, Owen percebeu que devia ser o osso da coxa de uma ave — uma ave do tamanho pelo menos de um avestruz.

Em 12 de novembro de 1839, Owen apresentou o osso à Sociedade de Zoologia de Londres, do mesmo modo como o primeiro esqueleto de neandertal seria apresentado à ciência cerca de vinte anos depois. Seu artigo foi a primeira declaração formal de que a Nova Zelândia fora, em algum

Richard Owen ao lado de um esqueleto de Dinornis moa e segurando o fragmento original de osso de moa que lhe foi dado pelo dr. John Rule em 1839. (Canterbury Museum, Christchurch, Nova Zelândia).

momento do passado, lar de uma grande ave que devia ser grande como um avestruz.

A caça ao moa

À medida que aumentava na Inglaterra o interesse pela estranha ave, os estudos sobre o moa também se iniciavam na Nova Zelândia. Dois dos primeiros neozelandeses especializados em moa eram na verdade os missionários William Williams e William Colenso (imagina-se que um deles tivesse o apelido de Bill). Williams e Colenso reuniram muitos espécimes de ossos de moa, alguns mandados à Inglaterra para estudos adicionais. Os moas foram, portanto, a inspiração para alguns dos primeiros esforços científicos na Nova Zelândia.

Colenso também escreveu um artigo em que afirmava que a ave gigante, antes sem nome, era chamada de *moa* pelos maoris. Também sugeria que o moa poderia ser aparentado do quivi, na época também um mistério. Devido à distância que se encontrava, Colenso teve consideráveis problemas para conseguir que seu artigo fosse publicado. Felizmente para ele, e para a pesquisa do moa, o artigo por fim foi mandado à Inglaterra e passado, novamente, a Richard Owen. Agora, convencido da existência do moa, Owen apelou para que continuassem procurando na Nova Zelândia por mais espécimes, vivos ou mortos.

Incitada pelo interesse despertado por essas descobertas, a caça ao moa logo se tornou um passatempo popular na

Nova Zelândia colonial. Na época, ninguém tinha muita certeza da completa extinção do moa, ou se eles simplesmente se escondiam muito bem. Diferentes tribos de maoris defendiam opiniões diferentes sobre o assunto: alguns diziam que estava extinto; outros acreditavam que ainda existia em vales remotos. As "visões" do moa eram relatadas com freqüência, mas nenhuma pôde ser constatada. Para acirrar o debate, o primeiro osso de moa descoberto não estava fossilizado, o que significava que, se a ave estava extinta, o processo devia ser recente.

Essa falta de informação sobre o moa não causa surpresa, porque o conhecimento científico sobre a flora e a fauna da Nova Zelândia se encontrava numa fase tão incipiente que nem a existência do quivi era bem documentada.

Embora nenhum moa fosse encontrado vivo, não demorou para que ossos de moa fossem descobertos espalhados pela Nova Zelândia. Logo, encontraram-se ossos concentrados, e esqueletos completos — ou quase completos — começaram a surgir, junto com ovos. Também foram encontrados alguns restos com tecido mole preservado ainda presos nos ossos.

Nesses primeiros tempos da caça ao moa, seus ossos em geral eram encontrados na superfície ou perto dela, em locais que tinham sido erodidos há pouco, provavelmente como resultado de intenso desmatamento para criar fazendas. Cavernas em que restos de moa foram descobertos também estavam sendo exploradas, e depósitos de numerosos ossos da ave foram escavados de pântanos. Por fim, os ossos de moa foram encontrados em monturos maoris (depósitos de lixo), o que indicava que um dia tinham sido objeto de caça. Muitos desses restos foram mandados à Inglaterra e terminaram nas mãos de Owen.

As origens do moa

Logo ficou evidente que os moas existiram em uma ampla variedade de formas e tamanhos e, de uma ou outra forma, viveram em quase toda a Nova Zelândia. Também ficou claro para os que estudavam os primeiros ossos que os moas mostravam uma forte semelhança com um grupo conhecido como família dos ratitas, que existe em várias outras regiões do mundo — avestruzes na África, emus na Austrália e emas na América do Sul.

Inicialmente, pensava-se que o quivi, também membro da família dos ratitas, devia ser um parente próximo e vivo do moa. Owen, porém, reconheceu que o moa era bastante diferente dos quivis (gênero *Apteryx*) e de outros ratitas para ser classificado como novo gênero da família dos ratitas, que ele batizou de *Dinornis*, do grego para "ave surpreendente".

Depois de reconhecer que devia haver uma relação entre o moa e outros integrantes da família dos ratitas, os primeiros pesquisadores do moa refletiram a respeito de como o grupo se espalhou por cantos tão distantes e remotos da Terra. Sem ter asas, era óbvio que eles não podiam ter voado. Então, como se espalharam? Nos primeiros dias da caça ao moa, esse mistério simplesmente não pôde ser explicado de forma satisfatória.

Também era difícil determinar com algum grau de certeza se o moa estava extinto. Continuavam a aparecer histórias de moas que teriam sido avistados, dando a alguns cientistas a esperança de que as aves afinal não estivessem extintas, que podiam ser encontradas. Outros, porém, não tinham dúvidas de que estavam mesmo extintas, e não se deixaram convencer pelas histórias.

Em todo o século XIX e no início do século XX, as diferentes variedades, tamanhos e formatos dos moas foram estudados e divididos em uma série de diferentes espécies por Owen e outros, tanto na Inglaterra como na Nova Zelândia. William Colenso prosseguiu seus estudos sobre o moa na Nova Zelândia, junto com sua ampla pesquisa de botânica. O próprio Owen estudou aves da Nova Zelândia por mais de 46 anos e é responsável pelo nome de muitas espécies de moa.

Apesar do esforço dos pesquisadores, as primeiras classificações do moa foram confusas, em grande parte porque muitos esqueletos estavam incompletos. Vários nomes foram dados a uma enorme variedade de "espécies" de moa, e a classificação às vezes se baseava simplesmente em um ou em poucos ossos. Essas classificações de espécie eram debatidas acaloradamente entre os pesquisadores, o que significava que não havia um esquema de classificação unificado e inconteste. A verdade é que ninguém sabia ao certo quantas espécies de moa existiram. Assim como na arena científica, os boatos sobre a ave proliferavam também no domínio público — sobre seu enorme tamanho e o fato de sua possível existência. As misteriosas aves começaram a assumir uma natureza quase mítica.

Na década de 1930, começou para valer a classificação das muitas espécies de moa. Esse trabalho teve um impulso significativo em 1938, quando um depósito muito grande de restos de moa foi descoberto num local de nome exótico, Pântano do Vale da Pirâmide, no meio de uma fazenda em North Canterbury, na ilha South da Nova Zelândia.

Como costuma acontecer, os ossos foram descobertos por acaso em circunstâncias bastante estranhas. Em um exemplo típico da atitude "faça você mesmo" da Nova Zelândia, Joseph, dono da fazenda, e seu filho Rob realizavam a horrível tarefa de enterrar um cavalo morto no pântano quando por acaso toparam com ossos de moa. Joseph e Rob sabiam o que tinham encontrado, mas não acharam que o museu da cidade ficaria interessado. E assim uma das maiores descobertas científicas já feitas na Nova Zelândia foi de início guardada sem a menor cerimônia em um depósito de lã.

Um dia os ossos foram levados ao Museu de Canterbury, em Christchurch, onde, é claro, longe de desinteressada, a comunidade científica ficou muito animada com a descoberta. Grandes escavações então ocorreram no local, e muitos outros restos de moa foram encontrados, pertencentes a muitas espécies diferentes. O engraçado é que ninguém parecia saber que final tiveram os restos mortais do cavalo.

A cuidadosa escavação no Vale da Pirâmide foi a primeira vez que um grande esconderijo de restos de moa foi sistematicamente escavado por cientistas. Junto com vários bons espécimes de moa encontrados em cavernas nas ilhas North e South, a descoberta no Vale da Pirâmide indicava ser possível reunir esqueletos mais completos de moa, agora mais do que nunca, e os diferentes tamanhos e formatos da ave seriam classificados de forma mais abrangente.

Três termos usados com freqüência na classificação biológica são espécie, gênero e família. Uma *espécie* é um grupo de indivíduos que pode cruzar entre si, mas não com indivíduos de outra espécie: por exemplo, como grupo, todos os seres humanos podem cruzar entre si, e assim são membros da mesma espécie (*Homo sapiens*). Os seres humanos não podem, porém, acasalar com gorilas, que são portanto uma espécie separada. Um *gênero* é um grupo de espécies estreitamente relacionadas: por exemplo, leões (*Panthera leo*) e tigres (*Panthera tigris*) são espécies diferentes, mas são semelhantes o bastante para que sejam membros do mesmo gênero, *Panthera*. Por fim, o nível seguinte, a *família*, é um grupo de gêneros estreitamente relacionados: por exemplo, elefantes africanos (*Loxodonta africana*), elefantes asiáticos (*Elephas maximus*) e mamutes (*Mammuthus primigenius*), embora de diferentes espécies e gêneros, são membros da mesma família, *Elephantidae*.

Nos cinqüenta anos que precederam a pesquisa do moa, foi surpreendentemente difícil identificar quantas espécies, gêneros e famílias existiam. Com o passar do tempo, as classificações da ave foram constantemente modificadas e reorganizadas, pinçadas aqui e ali para tentar reconstruir com a maior precisão possível os tipos de moa que existiram e a relação que estabeleciam entre si.

Quando os moas foram descritos pela primeira vez, pensava-se que eram cerca de trinta espécies diferentes, um número que aos poucos diminuiu. Isso porque, nos primeiros tempos, qualquer leve variação entre ossos de moa o fazia ser classificado como uma espécie separada.

Em seguida às descobertas no Vale da Pirâmide e em outros bons sítios de moa, os pesquisadores formaram a opinião de que provavelmente havia muito mais variação interespécie do que se pensava a princípio. As variedades das ilhas North e South, por exemplo, podiam ter sido um pouco diferentes, mas ainda integravam a mesma espécie, uma possibilidade que não foi reconhecida pelos primeiros pesquisadores do moa.

Como conseqüência, várias espécies definidas de moa foram ainda mais reduzidas. No final do século XX, pensava-se em cerca de 11 espécies diferentes, divididas em duas famílias e seis gêneros.

Havia muitas variações de tamanho e formato entre os diferentes tipos de moa. O maior moa, com o nome de espécie de *Dinornis giganteus*, tinha ossos de perna de mais de um metro, media cerca de 3 metros de altura quando ereto e podia alcançar 270 quilos. Meu marido, um homem bem grande, assinalou com orgulho que mesmo ele tinha muito menos da metade do peso dessa variedade de moa. Eu mesma posso afirmar ter menos de um quarto do peso do *Dinornis giganteus* — um fato de que também posso me orgulhar.

Já alguns moas eram bem pequenos. O *Pachyornis mappini* (moa de Mappin, batizado com o nome do entusiasta do moa Frank Crossley Mappin, que descobriu um esqueleto quase completo numa caverna em 1933), alcançava apenas 15 quilos, mais ou menos o peso de Sweep, minha mestiça de labrador com poodle. Em geral, os integrantes da família *Emeidae* eram baixos e atarracados, enquanto a família *Dinorithidae* era alta e magra.

A amplitude do moa também varia consideravelmente: o *Dinornis* foi encontrado em toda a Nova Zelândia, enquanto alguns outros só foram encontrados nas ilhas South ou North. Seus hábitats também variavam de regiões montanhosas a florestas de planície e áreas costeiras com arbustos. Eles eram um grupo verdadeiramente diversificado.

Os cientistas agora sabem muito sobre este fascinante grupo de aves extintas da Nova Zelândia mas, apesar do esforço dos pesquisadores, permanecem várias questões-chave, particularmente com relação aos parentes e às origens do moa. Por exemplo, quem eram os parentes mais próximos dele na família dos ratitas? Sempre se supôs que o outro grupo ratita na Nova Zelândia, os quivis, fossem seus parentes mais próximos, mas será este o caso? Segundo, como os moas (e os quivis) vieram parar na Nova Zelândia e se distinguiram tanto de todos os outros ratitas?

O motivo para que essas questões fossem tão difíceis de responder foi que, como não havia nenhum moa vivo para estudos, a pesquisa nessa área sempre dependeu inteiramente de indícios fósseis. Embora uma profusão de fósseis de moa tenha sido encontrada, eles não podem dar respostas às questões sobre as origens do moa, porque quase todos eram relativamente recentes. Constatou-se que a maior parte dos ossos de moa encontrados e datados sobretudo por carbono chegaram no máximo a 1-3 mil anos de idade, e em geral é muito raro encontrar restos de moa de mais de 10-12 mil anos.

Essa ausência de fósseis antigos de moa reflete a situação mais ampla da paleontologia da Nova Zelândia. Comparada a outras partes do mundo, a Nova Zelândia tem relativamente poucos fósseis verdadeiramente antigos, o que está relacionado aos altos níveis de atividade tectônica das ilhas (erupções vulcânicas e terremotos). Essa volatilidade na paisagem, com a qual os neozelandeses estão tão acostumados, leva a uma sublevação da crosta terrestre e à subseqüente erosão, processos que em geral implicam a destruição dos fósseis. Além dessa instabilidade inerente, durante as eras glaciais a paisagem da Nova Zelândia ainda sofreu mais elevações na terra devido à flutuação dos níveis do mar e do gelo.

Como conseqüência, não tem sido possível ver diretamente as mudanças de longo prazo ocorridas no registro fóssil em toda a história evolutiva dos moas, como aconteceu com tantas outras espécies, inclusive a nossa.

História evolutiva

Com base nos indícios disponíveis na época, a teoria preferida relacionada com a origem do moa foi de que, junto com o quivi, ele vivia na Nova Zelândia desde que o país existe. Segundo essa teoria, quando a Pangéia, a enorme massa de terra que existiu quando os dinossauros surgiram, se dividiu em duas, a terra que agora compõe a Nova Zelândia fazia parte do supercontinente meridional da Gonduana, que também incluía a América do Sul, a Austrália, a Antártida e a África. Há 80 milhões de anos, não muito antes do fim da era dos dinossauros, a Gonduana começou a flutuar em pedaços e surgiram as ilhas da Nova Zelândia. Esse processo foi lentíssimo, só alguns milímetros por ano, mas depois de milhões de anos resultou numa vasta distância.

Tudo leva a crer que a flora e a fauna da Nova Zelândia, de acordo com essa teoria, flutuaram da Gonduana junto com a terra e assim ficaram isoladas de espécies presentes nas outras massas de terra. Os resultados desse longo período de isolamento podem ser vistos em muitas aves, plantas, insetos, sapos e répteis da Nova Zelândia, que, apesar de terem parentes próximos em outras partes do mundo, são únicos.

A maioria dos especialistas acredita que os moas e os quivis, sem capacidade de vôo, devem ter estado entre aquelas espécies presentes na Nova Zelândia na época da divisão. Quando a Gonduana ainda era uma só massa de terra, o ancestral dos ratitas de hoje teria se espalhado por todo o supercontinente. Quando o continente começou a se separar, a população antes unida foi dividida entre as massas de terra resultantes. Nas dezenas de milhões de anos seguintes, cada população isolada começou a evoluir de forma diferente, gerando os diferentes tipos de ratita vistos hoje em dia.

Uma teoria alternativa postulava que todos os ratitas eram aves voadoras em determinada época, e podiam passar de um continente para outro depois que os continentes se dividiram e que, ao evoluir de forma independente, perderam a capacidade de vôo desde então. Essa é de longe a teoria menos favorecida, devido à complexidade dos processos evolutivos que necessariamente teriam de estar envolvidos se fosse verdadeira.

A verdade, porém, é que, devido aos parcos registros fósseis recentes da Nova Zelândia, ninguém pode saber exatamente que espécies desse país estiveram presentes desde a divisão da Gonduana. Assim, a origem e as relações do moa (e do quivi) ainda são um mistério.

Alan Cooper, que apareceu várias vezes neste livro, decidiu ver se podia encontrar a resposta definitiva usando um ponto de vista completamente diferente para a história evolutiva do moa. Cooper é um "espeleólogo radical" confesso, que gosta particularmente de explorar cavernas, um *hobby* proveitoso na Nova Zelândia, onde, ao contrário de outras partes do mundo, ainda existem muitas cavernas inexploradas. "E é evidente", diz Cooper, "que elas estão cheias de ossos de moa." Tantos, na verdade, que certa vez ele disse em uma entrevista a uma emissora de rádio que por várias vezes os usou para cavar pedras enquanto estava lá embaixo. "Eles são pés-de-cabra muito bons — bem compridos", explicou com acanhamento. "É uma heresia agora, eu sei, mas na época..."

Cooper se lembra de quando a primeira recuperação de DNA antigo de ossos foi relatada. "Imagine só, de repente eu percebi que todos os ossos de moa nas cavernas deviam estar cheios de DNA, e portanto podíamos começar a ver o passado da Nova Zelândia, a evolução do moa e de muitas outras aves e plantas, o modo como os ecossistemas mudaram com a chegada do homem e as extinções que aconteceram." Animado com a idéia, Cooper começou a trabalhar com DNA de moa, inicialmente enquanto ainda estava na Nova Zelândia e depois na Universidade da Califórnia, em Berkeley.

A primeira coisa que Cooper queria fazer era usar DNA de moa para entender a evolução dos ratitas, em particular do moa. "Eles eram um enigma evolutivo havia muito tempo porque não podiam voar, e no entanto essas aves gigantescas são encontradas em todos os continentes do sul: África, América do Sul, Austrália, Nova Zelândia e havia antigamente uma em Madagascar", diz ele. "A questão é que, se eles eram tão grandes e não podiam voar, como conseguiram chegar a todas essas massas de terra diferentes, separadas por uma enorme quantidade de mar? Por certo eles não foram voando — seria preciso uma boa dose de dinamite para tirá-los do chão."

Cooper concluiu que, em vez de usar a análise fóssil tradicional para resolver o mistério, ele tentaria extrair DNA dos ossos de moa e depois comparar com o de outros integrantes do grupo dos ratitas. Ele raciocinou que, vendo as semelhanças e as diferenças entre o DNA de várias espécies de ratitas, talvez fosse possível deduzir há quanto tempo estavam separadas em seus diferentes continentes.

Cooper decidiu tentar extrair DNA de uma diversidade de gêneros e espécies diferentes de moa. Os espécimes que ele escolheu incluíam pele e músculo de *Anomalopteryx didiformis* mantidos pelo Museu Southland na Nova Zelândia, músculo de *Pachyornis elephantopus* mantido pelo Museu de Zoologia da Universidade de Cambridge, um espécime de *Dinornis novaezelandiae* mantido pelo Museu de Yorkshire, pele, costela e músculo de *Megalopteryx didinus* mantidos pelo Museu Nacional da Nova Zelândia (agora o Museu Te Papa Tongarewa da Nova Zelândia) e pele e tendões de *Emeus crassus* mantidos pelo Museu de Otago.

Sem dúvida, para seu deleite, os primeiros experimentos de Cooper com o DNA desses espécimes foram extremamente bem-sucedidos, revelando pela primeira vez informações sobre as características genéticas do moa. A primeira coisa que os experimentos revelaram foi que, surpreendentemente, dada a grande variedade de formatos e tamanhos dos moas, o DNA de todas as espécies testadas era muito semelhante. Todos os cinco gêneros examinados tinham DNA quase tão semelhante entre si como os de três espécies vivas de quivi. Isso significava que, apesar de suas aparências diferentes, os moas eram parentes muito próximos — prova de que as aparências podem mesmo enganar.

Em seguida, Cooper extraiu DNA de amostras de tecido de espécimes da família dos ratitas, inclusive o avestruz, o casuar, duas espécies de ema, o emu e, obviamente, o quivi. Ele depois comparou o DNA de moa com o dessas espécies existentes de ratitas. Essas comparações deram um resultado muito inesperado. Sempre se pensou que, devido a seu isolamento, o moa e o quivi seriam mais aparentados entre si do que com qualquer outro membro do grupo ratita. Para surpresa de Cooper, o DNA indicou que o moa afinal não era o parente mais próximo do quivi; na verdade, o moa não era mais semelhante geneticamente ao quivi do que, digamos, ao avestruz ou ao emu. A análise mostrou que o quivi era mais próximo do emu e do casuar da Austrália que do moa.

As comparações genéticas revelaram que havia outros três grupos distintos de ratitas: um grupo que consistia em todos os gêneros e espécies de moas; o segundo, incluindo todas as emas; e o terceiro, mais diversificado, composto por quivi, emu, casuar e avestruz. Esses resultados claramente indicam que os ratitas devem ter entrado na Nova Zelândia em duas ocasiões distintas — primeiro os moas e depois os quivis. Para Cooper e seus colegas, os resultados foram atordoantes. Como todos os outros, eles esperavam que o moa e o quivi fossem os parentes mais próximos um do outro.

Cooper agora acha que o moa na verdade compôs a fauna da Nova Zelândia desde a divisão da Gonduana. O quivi, pensa ele, é um morador mais recente, migrando para a Nova Zelândia depois que as ilhas se separaram da Austrália, mas ainda assim estavam próximas. É possível que tenha havido um "salto entre ilhas" para a Nova Caledônia e para a Nova Zelândia na época em que a terra era um pouco mais destacada do mar. "Sabemos que os ratitas podem nadar muito bem", explica ele.

Os resultados revelam um fato bem perturbador sobre a origem do símbolo nacional da Nova Zelândia. "Tecnicamente, se você olhar as relações dessas aves, dirá que o quivi é na verdade australiano", diz Cooper. Por sorte, seu status de símbolo não deve estar ameaçado, porque os resultados de Cooper indicam que o quivi viveu na Nova Zelândia por cerca de 70 milhões de anos. Com um toque da habitual rivalidade amistosa entre Nova Zelândia e Austrália, Cooper acrescenta: "Ele obviamente mostrou muito bom senso e saiu da Austrália assim que possível." Não se ouviu comentário de nenhum neozelandês sobre isso.

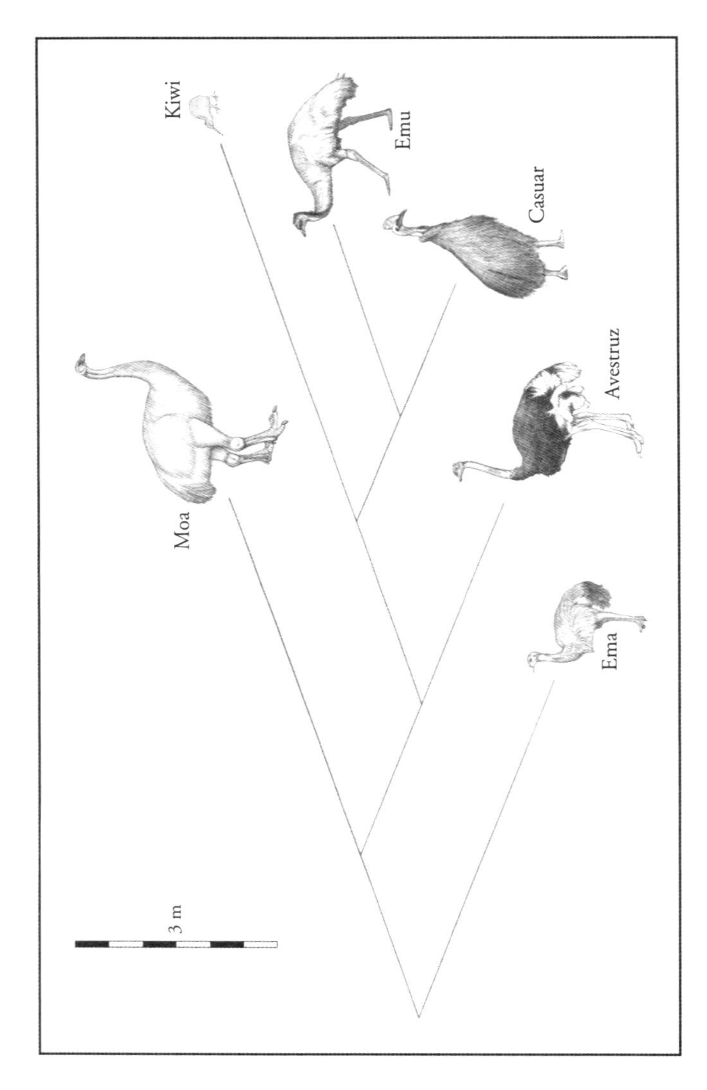

A árvore evolutiva da família dos ratitas revelada pelo estudo de DNA antigo. Os resultados mostram que o quivi é mais aparentado com o emu e o casuar do que com o moa. O maior representante de cada espécie foi escolhido para ilustrar a árvore genealógica.

Espécies de moa

O trabalho revolucionário de Cooper com DNA de moa esclareceu as origens da ave e mostrou, pela primeira vez, que moas e quivis não eram parentes tão próximos como todos pensavam. Mas o DNA de moa tinha mais segredos a revelar. Sempre houve outro antigo mistério sobre o moa — quantas espécies dele existiram? Como mencionei antes, os primeiros pesquisadores do moa achavam que havia muitas espécies dele, mas, com o tempo, esse número foi encolhendo até que, no final do século XX, apenas 11 espécies foram identificadas.

Mas nem essa convicção os pesquisadores tinham. Para vários especialistas, pode ter havido menos espécies ainda, devido a uma descoberta muito interessante feita por Joel Cracaft. Em 1976, Cracaft realizou uma reclassificação dos moas usando novas técnicas de análise e, dessa forma, percebeu algo muito estranho jamais observado por alguém.

Cracaft percebeu que, em determinado gênero de moa, havia uma espécie grande e uma espécie pequena que, à exceção do tamanho, eram muito semelhantes na forma e na aparência geral. Cracaft sugeriu que talvez os pares de moas grandes e pequenos não fossem *espécies* diferentes, como se pensava, mas podiam representar *gêneros* diferentes da mesma espécie.

Dimorfismo sexual e de tamanho

Na natureza, não é incomum que machos e fêmeas da mesma espécie tenham tamanhos diferentes, fenômeno conhecido como dimorfismo sexual. Às vezes a diferença pode ser bem acentuada, como acontece com outros integrantes da família dos ratitas.

Com base nesse palpite de que muitas espécies de moa podiam ser sexualmente dimórficas, Cracaft descreveu várias espécies dele como de sexos diferentes, reduzindo significativamente o número de espécies. Na época, contudo, ele não podia provar que estava certo porque não havia como saber que restos de moa eram de macho e quais eram de fêmea. Também não sabia se as fêmeas eram grandes e os machos pequenos, ou se era o contrário.

David Lambert, pesquisador de DNA antigo e especialista em genética de aves da Universidade Massey, na Nova Zelândia, começou a se perguntar se seria possível usar o DNA para resolver o mistério persistente do moa. Seria possível provar que o palpite de Cracaft estava correto? A equipe de Lambert era muito experiente no trabalho com DNA antigo e na análise de DNA de aves em geral, o que lhes deu convicção de que sua pesquisa teria sucesso.

A equipe decidiu concentrar-se em uma série de espécies representativas de todos os principais grupos de moa. Conseguiriam esclarecer se os moas grandes de cada "gênero" eram de um sexo, e os pequenos de outro? Se conseguissem, que sexo era grande e qual deles era pequeno?

Tecnicamente, para determinar o sexo dos ossos, só é preciso descobrir um pedaço de DNA presente em um gênero, mas não em outro. Essa é uma prática comumente empregada na determinação do sexo de ossos humanos — aqueles obtidos em sítios arqueológicos por exemplo. Os machos humanos têm um cromossomo X e outro Y (XY), enquanto as fêmeas têm dois cromossomos X (XX). Para determinar o sexo de um osso humano, em geral os pesquisadores procuram pela presença de seqüências de DNA que sejam notoriamente específicas do cromossomo Y. Há uma variedade dessas seqüências no cromossomo Y humano, e várias são adequadas para a determinação do sexo.

Para detectar um pedaço de DNA especificamente de Y em um osso humano, os pesquisadores primeiro extraem o DNA do osso e depois usam o processo de reação em cadeia da polimerase (PCR), descrito no capítulo anterior, para fazer cópias do pedaço de DNA de Y. Se o osso tiver um cromossomo Y, o fragmento de DNA será copiado pelo processo da PCR e isso aparecerá nos resultados do experimento, indicando que o osso é de um macho. Se o osso não tiver cromossomo Y, o pedaço de DNA não será copiado e não aparecerá nos resultados, indicando que o osso é de fêmea.

Os cromossomos sexuais das aves são o contrário dos cromossomos sexuais humanos. Nas aves, são os machos que têm dois cromossomos sexuais iguais (que, para evitar confusão, são chamados de ZZ), e as fêmeas têm cromossomos sexuais diferentes (chamados de WZ). Mas o princípio da determinação do sexo a partir de ossos de ave na pesquisa científica continua o mesmo, e é feito procurando-se por um pedaço de DNA presente em um cromossomo, mas não em outro.

Lambert e sua equipe concluíram que o melhor método para determinar o sexo de ossos de moa seria procurar por um pequeno pedaço de DNA que só estivesse presente no cromossomo W da fêmea. Encontrar um pedaço adequado de DNA de moa, porém, não era uma tarefa fácil. Na maioria das espécies de aves existem diferenças bem acentuadas entre cromossomos de macho e fêmea, assim como entre os cromossomos X e Y humanos, o que significa que é fácil encontrar um pedaço de DNA que possa ser usado para distinguir machos de fêmeas. Nos ratitas, porém, os cromossomos de macho e fêmea (W e Z) são muito parecidos, o que significa que é particularmente difícil encontrar diferenças genéticas que distingam machos de fêmeas.

Por fim, contudo, o esforço da equipe levou à descoberta de um pedaço de DNA no cromossomo W que podia ser usado para distinguir moas machos e fêmeas. Depois de descoberto, o princípio da determinação do sexo de ossos de moa foi bem simples: o DNA foi extraído de cada osso e investigou-se a presença do DNA de cromossomo W. Se presente, a ave a que pertencia o osso devia ser fêmea; se ausente, a ave devia ser macho.

Dessa forma, a equipe de pesquisa determinou o sexo de um grande número de ossos de uma série de espécies de moa. Três delas foram *Pachyornis mappini* (a espécie mais importante nesse estudo devido ao grande número de amostras disponíveis), *Emeus crassus* e *Euryapteryx curtis*. Cada uma dessas três espécies se dividira anteriormente em duas ou mais espécies, o que se inferiu a partir da variação presente entre seus restos. Mas os pesquisadores já suspeitavam de que cada uma das espécies de moa seria sexualmente dimórfica e, alguns anos antes que a análise de DNA fosse realizada, a classificação foi reorganizada de forma a incluir apenas as três espécies. Cada espécie, porém, ainda tinha dois grupos — grande e pequeno, representando machos e fêmeas. Qual era macho e qual era fêmea, porém, não se sabia antes da análise de DNA.

A pesquisa de Lambert revelou o que outros tinham conseguido apenas imaginar: os moas grandes em cada gênero eram fêmeas e os pequenos, machos.

A equipe também investigou o gênero mais famoso, *Dinornis*, que contém os moas gigantes e vários moas pequenos. O *Dinornis* se extinguiu há cerca de quinhentos anos, mas antes disso era encontrado em toda a Nova Zelândia.

A visão predominante do gênero *Dinornis* era de que havia três espécies, cada uma de um tamanho diferente. Havia o *Dinornis struthoides*, a menor delas; *Dinornis novaezealandiae*, que tinha porte médio, e *Dinornis giganteus*, o colosso. Por qualquer escala que se usasse, a diferença entre os moas *Dinornis* maior e menor eram verdadeiramente drásticas, tendo o menor o peso e a altura aproximados de um peru, e os maiores moas conhecidos eram mais altos e maiores do que avestruzes.

Os pesquisadores extraíram DNA de um grande número de ossos de cada um dos três tipos e logo puderam ver que o DNA de todos os três eram extraordinariamente semelhantes. Tão semelhantes, de fato, que só havia uma conclusão a chegar — apesar de suas drásticas diferenças de tamanho, todos os moas *Dinornis* deviam pertencer a uma única espécie.

Como nas outras espécies que a equipe havia pesquisado, será que os grandes moas eram de um sexo e os pequenos, de outro? Se assim fosse, que sexo era grande e qual era pequeno? A equipe de pesquisa determinou o sexo de um grande número de ossos de *Dinornis* de cada uma das três espécies antes definidas. Certamente, todos os espécimes de *Dinornis* menores (que tinham sido agrupados na espécie *Dinornis struthoides*) eram machos, todos os enormes espécimes de *Dinornis* (que tinham sido agrupados na espécie *Dinornis giganteus*) eram fêmeas, enquanto os espécimes de tamanho intermediário (que tinham sido agrupados na espécie *Dinornis novaezealandiae*) eram uma mistura de machos e fêmeas.

Os resultados da pesquisa revelaram o que outros só podiam imaginar — que na verdade era a fêmea de *Dinornis* o verdadeiro monstro. Essas descobertas foram respaldadas por pesquisa análoga e paralela sobre o *Dinornis* feita por Alan Cooper.

Lambert tem um orgulho justificado do sucesso de sua equipe no trabalho com DNA de moa. "Compreendemos muita coisa e nos sentimos muito bem com isso, porque estamos agora numa situação muito melhor para entender como viveram muitas espécies de moa e que relações tinham", diz ele.

O futuro da pesquisa do moa

A equipe de Lambert ainda está muito ativa no trabalho com o moa e tem muitos planos para o futuro. "Um dos aspectos em que estamos trabalhando é a determinação do sexo que incubava os ovos", diz Lambert. "Pensamos que talvez os machos incubassem os ovos e que as fêmeas vagassem em busca de alimento, e vamos conseguir testar isso." Para tanto, a equipe extrairá DNA de ossos de moa encontrados junto com ovos e, a partir daí, determinará seu sexo.

Outro projeto em que a equipe está trabalhando é a investigação de genes de moa envolvidos na produção dos pigmentos de cor. Não se sabe ao certo que cor tinham os moas, porque, embora tenham sido encontradas penas deles, elas estavam cobertas de argila, então sua verdadeira cor não pôde ser determinada. "Agora imaginamos que podemos estender os genes que estavam envolvidos no depósito de pigmento nas penas e esperamos conseguir formar logo um quadro da cor dos moas."

O trabalho com DNA de moa representa um grande triunfo na pesquisa de DNA antigo, demonstrando a eficácia de uma tecnologia que pode dar respostas a questões científicas reais que são interessantes não só para o mundo da pesquisa, mas para a sociedade. Depois da constrangedora saga do DNA superantigo, as coisas ficaram meio sombrias para o campo do DNA antigo por algum tempo, mas, graças à introdução de novos padrões e ao uso de amostras de idade realista, o DNA antigo se restabeleceu como um campo de estudo interessante e útil.

Até agora, falamos dos sucessos (e fracassos) da pesquisa de DNA antigo aplicada a espécies extintas de animais, aves e ancestrais humanos. Mas o DNA antigo também se mostrou inestimável na solução de mistérios mais recentes. Um desses é a causa de várias terríveis epidemias, inclusive a peste negra medieval que devastou a Europa no século XVI, a epidemia de tuberculose que irrompeu nas Américas depois da chegada de Colombo e a pandemia de influenza de 1918. Agora o DNA antigo está sendo usado para tentar descobrir as respostas a algumas das perguntas que temos sobre essas terríveis doenças.

5

Proporções de uma praga

A busca da verdade por trás de arrasadoras epidemias do passado

Roda um aro de rosas,
Uma bolsa de buquês;
Atchim! Atchim!
E todos desabamos.

Cantiga de ninar inglesa do século XVII

Eu odeio pegar qualquer tipo de doença infecciosa. Em parte, é uma questão pessoal. Fico feliz em admitir que sou meio maníaca por controle e então, quando fico doente, não gosto da sensação de que não estou mais no comando do funcionamento do meu próprio corpo. Até pegar um resfriado faz com que eu me sinta possuída por uma força do mal, e eu detesto a idéia de que uma forma de vida microscópica, minúscula, um vírus ou bactéria tão pequeno que eu não posso ver, invadiu meu corpo e tomou posse dele.

A despeito de minha personalidade, acho que grande parte do modo como me sinto tem a ver com o fato de que a prevenção e a cura de doenças infecciosas agora estão tão avançadas, em particular na parte do mundo onde tenho a sorte de morar, que muitos de nós se acostumaram a ficar praticamente livres de patógenos na maior parte do tempo, daí nosso profundo ressentimento quando adoecemos.

Nas culturas ocidentais de hoje, é bem fácil esquecer que surtos terríveis de doença arrasaram regularmente sociedades inteiras ao longo da História. Essas doenças apareceram na forma de epidemias, que são surtos de doença que afetam muitas pessoas em uma comunidade ao mesmo tempo, ou pior ainda, pandemias, que são epidemias geograficamente dispersas, afetando toda uma região ou até o mundo todo.

Três exemplos particularmente extremos são a pandemia de Peste Negra medieval, no século XIV, a epidemia de tuberculose e outras doenças que ocorreram depois das viagens de Colombo às Américas e, numa época mais recente, a grande pandemia de *influenza* (gripe) de 1918. Esses foram três dos piores episódios de doença registrados na História, em uma escala que está além de qualquer coisa que a maioria de nós consiga imaginar.

Junto com sua letalidade e o mero terror que causavam, esses surtos também tinham elementos de completo mistério. Todos os três, à sua própria maneira, desnortearam os especialistas na época em que apareceram, deixando em sua esteira uma trilha de perguntas sem resposta.

No caso da Peste Negra na Idade Média, o mistério sempre foi a causa da doença. Exatamente que organismo infeccioso estaria por trás dos terríveis sintomas que afligiram suas vítimas? No caso dos surtos de tuberculose pós-Colombo nas Américas, o mistério foi saber a quem culpar. Será que Colombo e seus homens introduziram a doença em uma população que não a conhecia? Por fim, no caso da gripe de 1918, o mistério está na gravidade da doença. Por que essa cepa de *influenza* foi tão letal, quando outros tipos de gripe não eram?

Este capítulo conta a história desses três surtos históricos de doença e os segredos que, graças à pesquisa de DNA antigo, por fim estão sendo revelados.

A Peste Negra

Um dia, em outubro de 1347, um grupo de navios mercantes italianos velejava para o porto de Messina, na Sicília. Tinham feito uma viagem ao mar Negro, passando por uma rota que ligava à China. Quando os navios atracaram, quem estava a bordo havia morrido de uma doença misteriosa e terrível. Dias depois, a doença se espalhou para a cidade e a área rural que a cercava; a Peste Negra chegara à Europa.

Nos anos precedentes, a Peste Negra tinha arruinado a Ásia. Surgiu na Mongólia na década de 1320 e se espalhou para leste e oeste a partir dali. Na China, morreram 65% da população.

Os europeus ouviram boatos desse surto terrível no leste, mas, até a chegada dos navios mercantes, não tinham experiência direta da doença. Infelizmente, não demorou muito para que seus efeitos fossem sentidos. A Peste Negra se disseminou de um centro a outro com uma velocidade apavorante, ajudada pelo grande número de rotas comerciais e portos marítimos em uso na Europa, bem como de rotas fluviais e terrestres.

A doença se irradiou em todas as direções a partir de seu ponto de introdução na Europa, provocando estragos aonde quer que fosse. Menos de um ano depois de sua chegada à Sicília, a Peste Negra alcançava a Inglaterra. Em 1350, tinha se espalhado pelos países do extremo norte, a Suécia e a Noruega, bem como a Islândia e a Groenlândia. Também se disseminou para o leste, em toda a região do Mediterrâneo, e ao sul, entrando no norte da África. Em 1352, um terço da população da Europa — cerca de 25 milhões de pessoas — tinha morrido.

A doença deixou morte e destruição em toda parte, mas algumas cidades foram atingidas de forma mais severa do que outras. Estima-se que Veneza tenha perdido 90 mil pessoas, aproximadamente 60% da população. Milão, por outro lado, perdeu 15 mil habitantes, apenas 15%. A doença parecia ser completamente aleatória: às vezes toda uma família morria no mesmo dia, e em outras ocasiões um membro morria num dia, seguido por outro várias semanas depois. Às vezes quase todo mundo em uma região morria; em outros lugares, só uma ou duas pessoas. Por que isso ocorria era um completo mistério.

Uma gravura da época mostra um inglês acometido de Peste Negra, em 1348, exibindo as características bolhas escuras. (Bridgeman Art Library)

SINTOMAS

Os sintomas da Peste Negra eram repugnantes e letais. O mais evidente eram as pústulas causadas por sangramento subcutâneo. Estas eram acompanhadas de grumos ou "bubões" nos nódulos linfáticos na virilha, axila ou pescoço. O tamanho dos bubões variava de bem pequenos a grandes como uma laranja, e eram terrivelmente dolorosos. À medida que a doença progredia, a infeliz vítima começava a se comportar de forma cada vez mais irracional, até que uns cinco dias depois, tinha uma morte agonizante.

As pessoas na Europa simplesmente não sabiam o que as afetara de forma tão severa, e foi muito difícil encontrar respostas. Na época da pandemia, antes dos modernos microscópios e técnicas de laboratório, as causas da doença eram mal compreendidas, e ainda não se conhecia o papel das bactérias e vírus.

Na ausência de explicação científica, as pessoas se voltaram para outras teorias a fim de explicar a Peste Negra. Muitos procuraram respostas na Bíblia, acreditando que o surto seria a vingança de um Deus raivoso. As histórias bíblicas falavam de outras ondas de doenças letais, inclusive lepra e pragas de piolhos. As epidemias também pareciam coincidir com épocas de inquietação, e, como a Peste Negra chegara em uma época difícil e instável, parecia óbvio a muitos que também devia ser uma manifestação da ira de Deus, um castigo pelo comportamento pecaminoso e a desobediência.

Longe de ficarem irritados com Deus por sua punição severa, a grande maioria culpou a si mesma e tentou desesperadamente se arrepender de seus pecados. Acreditava-se que muitos comportamentos tinham contribuído para a ira e o castigo divinos, entre eles a cobiça, o comportamento profano, as bebedeiras e até as modas decadentes "modernas".

Outra teoria comum era de que a Peste Negra seria o resultado de ar envenenado. De acordo com essa teoria, a doença era levada por um vento fétido que se deslocava pelo mundo, destruindo quem estivesse em seu caminho. Pensava-se que sua origem era o oceano Índico, talvez a partir de

Depois da pandemia inicial de quatro anos, a situação se acalmou consideravelmente, mas a Europa ainda não estava livre da Peste Negra. Surtos menores da doença voltaram a intervalos regulares de seis a 12 anos até meados da década de 1600. Por fim, depois de um grande surto em Londres, em 1666, ela desapareceu após o Grande Incêndio de Londres. Depois de mais de trezentos anos, a Peste Negra tinha ido embora, mas grande parte do mistério persistiu.

SERIA A PESTE NEGRA IGUAL À PESTE BUBÔNICA?

À medida que começava a aumentar o conhecimento científico e médico nos séculos que se seguiram à pandemia de Peste Negra, os cientistas tentaram identificar o que era de fato a doença. Ficou claro que a responsabilidade era de algum microorganismo, bacteriano ou viral, mas determinar qual seria se mostrou extremamente difícil. Com o tempo, muitas sugestões foram feitas sobre a causa, mas a consonância entre especialistas era outra questão. A Peste Negra era uma doença surpreendentemente difícil de definir.

De longe, a teoria mais comum era de que a Peste Negra era uma epidemia maciça da doença conhecida como "peste bubônica". Tão forte é sua associação que o nome "Peste Negra" é quase intercambiável com "peste bubônica" ou simplesmente "a peste". Mas seriam na verdade a mesma coisa?

A peste bubônica é causada por infecção pela bactéria específica *Yersinia pestis*. Foi isolada pela primeira vez em 1894, e em 1897 descobriu-se que era carregada pelas pulgas do rato preto, *Rattus rattus*. Agora se sabe que a bactéria pode sobreviver em urina de rato, na terra e em tocas de rato por muitos anos. A *Yersinia pestis* se dissemina comumente pela picada de uma pulga infectada de rato, mas quando infecta os pulmões do homem, como acontece ocasionalmente, a doença pode se disseminar direto de pessoa para pessoa por tosse e espirros constantes, como uma gripe comum.

A peste bubônica existe naturalmente em níveis baixos o tempo todo em algumas regiões do mundo, inclusive em Uganda, no oeste do Oriente Médio e no norte da Índia. Na verdade, ela ainda espreita em cada continente, exceto na Austrália. Às vezes, por motivos que não se entende inteiramente, ela surge e causa uma epidemia de pequena escala. Raras vezes se dissemina a ponto de tornar-se uma pandemia de grandes proporções, como aconteceu várias vezes na história registrada. Uma pandemia pode durar algum tempo, em geral como uma onda de epidemias seguida por alguns anos do desaparecimento da doença, e depois reacender. Por fim, desaparece totalmente.

Por que se pensaria que a Peste Negra era uma pandemia maciça da peste bubônica? Em parte porque seus sintomas parecem ter sido quase idênticos aos sofridos por pessoas afetadas pela peste bubônica. Em particular, os que contraíram a Peste Negra desenvolveram bubões, um sintoma que os doentes de peste bubônica desenvolvem com freqüência. Esse traço comum foi identificado formalmente por Alexandre Yersin, um bacteriologista francês, no final da década de 1800.

Porém, apesar dessas semelhanças aparentes, não se pôde encontrar nenhum indício conclusivo de que a Peste Negra era de fato a peste bubônica. Para complicar a questão, várias doenças produzem sintomas semelhantes, e a peste bubônica não é a única outra doença a causar bubões.

Susan Scott e Chistopher Duncan, epidemiologistas da Universidade de Liverpool, opõem-se particularmente à idéia de que a Peste Negra tenha sido a peste bubônica, assinalando várias falhas nessa teoria. Primeiro, eles observam que a peste bubônica em geral é levada a uma região por pulgas de ratos, enquanto a Peste Negra também podia se disseminar em condições onde não sobreviveria nenhum rato, ou nenhuma pulga — por exemplo, em áreas montanhosas ou até na Islândia, onde não havia ratos. Segundo, a peste bubônica tende a se disseminar muito lentamente, enquanto a Peste Negra se espalhou com uma velocidade surpreendente. Terceiro, a Peste Negra podia ser transmitida direto de uma pessoa para outra, enquanto a peste bubônica em geral não se dissemina dessa forma. *Existe realmente* uma rara forma de peste que pode se disseminar de pessoa para pessoa, mas Scott e Duncan assinalam que em geral ela é fatal, e os afetados por ela ficam tão doentes, e morrem tão rápido, que simplesmente não conseguem ir longe o bastante para disseminar a doença na escala em que se espalhou a Peste Negra.

Por fim, Scott e Duncan apontam para o grau de possibilidade de contágio da Peste Negra, muito maior do que acontece com a peste bubônica. Um surto da peste bubônica na Índia na década de 1800 matou menos de 2% da população das áreas atingidas. A Peste Negra matava um terço da população das áreas afetadas.

Scott e Duncan sugeriram que a Peste Negra podia ter sido uma de várias outras doenças, talvez uma forma modificada de um vírus hemorrágico como o Ebola ou a febre de Lassa, ou um surto de antraz, tifo ou até tuberculose. Embora muitos especialistas ainda acreditem que a Peste Negra era a peste bubônica, não se pode saber com certeza qual das explicações é a correta.

DNA E POLPA DENTÁRIA

Estava claro que novos indícios eram necessários para que se encontrasse uma solução para o mistério da Peste Negra. No final da década de 1990, Didier Raoult e seus colegas da Universidade do Mediterrâneo, em Marselha, decidiram lançar uma luz no problema usando um método bem diferente de qualquer outra coisa já tentada.

A idéia por trás de sua proposta de pesquisa era simples, e no entanto muito engenhosa. Se pudessem encontrar o esqueleto de uma pessoa que tivesse morrido de Peste Negra, raciocinaram eles, procurariam naqueles restos por DNA da bactéria *Yersinia pestis*, que causa a peste bubônica. Essa descoberta seria um forte indício de que a Peste Negra e a peste bubônica eram a mesma coisa.

Por acaso, os arqueólogos tinham feito recentemente uma descoberta em Montpellier, ao sul da França, de um cemitério de igreja medieval contendo oitocentos túmulos. Quando se escavou o local, quatro túmulos foram identificados e se provaram particularmente interessantes para Raoult e colegas. Esses túmulos continham muitos esqueletos, todos sem mortalha, um sinal certo de que os corpos foram enterrados apressadamente e na mesma ocasião.

Por uma combinação de datação de carbono, exame de dados históricos e estudos de artefatos encontrados no local, os pesquisadores determinaram que os túmulos datavam de um período durante os séculos XIII e XIV. Os registros históricos mostravam que a Peste Negra tinha varrido essa região naquela época, mas nenhuma outra grande catástrofe fora registrada. Era provável, portanto, que os esqueletos nos túmulos fossem de vítimas da Peste Negra.

A fase seguinte era procurar por DNA de *Yersinia pestis* nas ossadas. Raoult e seus colegas decidiram coletar vários dentes de um dos túmulos. A polpa interna do dente, raciocinaram, seria um bom lugar para procurar DNA de *Yersinia pestis*, já que a polpa dentária se degrada lentamente após a morte, e assim qualquer DNA nela provavelmente estaria bem preservado. A polpa dentária tem a vantagem adicional de ser selada, e assim não é facilmente exposta à problemática contaminação que pode ocorrer nos estudos de DNA, discutida em mais detalhes no capítulo 3. Mais importante ainda, se alguém é infectado por uma doença como a *Yersinia pestis*, a polpa dentária em geral também é infectada.

No todo, a equipe extraiu 23 dentes de três esqueletos diferentes, de um homem, uma mulher e uma criança. No laboratório, os dentes foram cuidadosamente lavados antes de serem divididos em dois, e a polpa dentária foi raspada e posta em tubos de ensaio estéreis.

Depois disso era uma questão relativamente simples examinar se havia DNA de *Yersinia pestis* nos dentes. Primeiro, como em qualquer outro experimento de DNA, Raoult e seus colegas extraíram todo o DNA presente na polpa dentária. Isso, é claro, incluía o humano e qualquer DNA de *Yersinia pestis* porventura presente. Eles usaram o material extraído para fazer uma reação de PCR que se concentrava em tentar copiar pedaços de DNA de *Yersinia pestis* enquanto ignorava totalmente o humano. Essa incrível especificidade é uma das verdadeiras belezas do processo de PCR no trabalho com DNA — não só produz grande quantidade de cópias de uma seqüência de DNA, como também pode ser refinada para separar DNA de uma espécie de uma mistura de diferentes DNAs.

Como controle, usando material do mesmo dente, a equipe fez reações separadas de PCR que se concentraram no DNA de agentes que causam várias outras doenças, como antraz e tifo.

Os resultados pareciam bastante conclusivos. Os testes para DNA de antraz e tifo deram negativo — o que significava que as vítimas não tinham morrido dessas doenças. O teste de PCR para DNA de *Yersinia pestis*, por outro lado, deu positivo. Raoult e colegas ficaram compreensivelmente animados. "Acreditamos que podemos dar um fim à controvérsia", declararam quando os resultados foram anunciados em 2000. "A Peste Negra medieval era a peste bubônica."

Nem todos tinham a convicção de Raoult e colegas de que o mistério fora resolvido. Scott e Duncan ainda eram firmemente contrários à idéia de que a Peste Negra fora causada pela peste bubônica. Disseram que, embora essas análises parecessem indicar que a peste bubônica estava presente na Europa na mesma época, isso não significava que a preste bubônica *teria causado* a Peste Negra. E, se houvesse outra doença presente ao mesmo tempo, perguntaram, e essa doença, e não a peste bubônica, fosse a verdadeira assassina? Os resultados de Raoult certamente eram intrigantes, mas se baseavam em apenas um sítio de túmulos. Eram necessários mais indícios para que todos se convencessem.

Assim, Alan Cooper, o prolífico pesquisador de DNA antigo que encontramos antes, decidiu reproduzir os resultados em seu próprio laboratório. Se pudesse encontrar DNA de *Yersinia pestis* nos corpos de diferentes vítimas da Peste Negra, os resultados de Raoult teriam respaldo.

Cooper e sua equipe iniciaram o trabalho analisando uma grande amostra de 121 dentes de 66 vítimas da Peste Negra, coletados de túmulos de vários locais da Europa, inclusive Londres, Copenhague e França.

A equipe de Cooper extraiu cuidadosamente a polpa dentária de todas as vítimas e a analisou em busca da presença de DNA de *Yersinia pestis*, usando o mesmo método básico utilizado por Raoult. Longe de apoiar os resultados de Raoult, porém, as descobertas de Cooper só aumentaram a controvérsia. Enquanto a equipe de Raoult tinha encontrado DNA de *Yersinia pestis* nos dentes das três vítimas que examinaram, a equipe de Cooper não encontrou vestígios dele em nenhum dos dentes analisados. "Não podemos descartar a hipótese de a *Yersinia pestis* ter sido a causa da Peste Negra", disse Cooper, "mas agora não existe indício molecular para isso".

Qual a razão de resultados tão diferentes? Há duas explicações possíveis.

Para começar, embora a polpa dentária tenha melhor proteção contra a contaminação do que muitos outros restos mortais, ainda existe a possibilidade de os resultados de Raoult terem sido afetados por DNA contaminante e não refletirem a presença de DNA de *Yersinia pestis* do século XIII ou XIV nos dentes. Raoult, o que não surpreende, não acredita que possa ser assim, insistindo que sua equipe foi meticulosa com as preocupações tomadas para evitar esse resultado.

A segunda possibilidade é de que as ossadas que Cooper examinou não contivessem DNA de *Yersinia pestis* não porque as vítimas não tenham morrido de peste bubônica, mas porque o DNA por acaso presente se degradou com o tempo e não pôde mais ser encontrado — ou porque as vítimas morreram antes que as bactérias entrassem nos dentes.

E o mistério ainda não foi resolvido.

Colombo e a tuberculose

Embora o júri ainda não tenha decidido se a Peste Negra foi de fato a peste bubônica, o DNA antigo conseguiu lançar uma luz significativa sobre um segundo mistério histórico de doença, dessa vez nas Américas.

No final do século XV, Cristóvão Colombo navegou da Europa para a América do Sul. Logo em seguida, o povo das Américas começou a morrer, em grande número, de surtos pavorosos da doença. Colombo e sua tripulação foram por muito tempo considerados responsáveis por essa imensa epidemia, ao introduzirem doenças em populações que nunca as enfrentaram antes.

Uma das doenças que causaram essa devastação foi a tuberculose. Mas é verdade que os povos nativos das Américas nunca a enfrentaram antes? Seria Colombo de fato responsável pela introdução dessa doença letal em um novo continente?

Cristóvão Colombo nasceu em 1451 na república de Gênova, ao norte da Itália, o mais velho de cinco irmãos em uma família de mercadores de lã e tecelões. Os detalhes do início de sua vida são incompletos, mas é provável que tenha sido criado como católico e educado inteiramente em casa. Como era comum na época, ele tentou várias ocupações, inclusive o trabalho com lã, mas com cerca de 25 anos descobriu a navegação, uma ocupação que o levaria a se tornar um dos exploradores mais famosos da história.

Em 1476, Colombo se mudou para Portugal e começou a formular um plano para uma viagem intrépida para o oeste, atravessando o oceano Atlântico. Na época, os europeus tinham uma idéia muito diferente da geografia do mundo. O mundo conhecido, da perspectiva européia, incluía apenas a Europa, a África e a Ásia. Esses três continentes eram cultural e politicamente distintos, mas havia rotas por mar e por terra que os ligavam e eles comerciavam regularmente entre si.

Sabia-se que o mundo era esférico, mas acreditava-se que só a área bem ao norte do equador era habitável. Abaixo disso, havia uma área chamada de "zona tórrida", que se imaginava quente demais para que as pessoas ali vivessem, embora ninguém da Europa tivesse estado lá. Jerusalém era considerado o centro do mundo, uma idéia que teve origem no cristianismo — nos mapas, Europa, Ásia e África eram todas centradas em Jerusalém. Em volta da terra conhecida, aparecia um grande oceano.

Embora o contato com as Américas é que o fosse tornar famoso, é uma ironia que ao planejar a viagem Colombo não estivesse tentando encontrar as Américas. Colombo não fazia a menor idéia da existência de outro continente do outro lado do oceano Atlântico. Sua verdadeira missão era descobrir um caminho para a Ásia, navegando para o oeste a partir da Europa.

Colombo e seus contemporâneos havia muito acreditavam na viabilidade dessa viagem. A seu ver, a circunferência da Terra era menor do que realmente é, o que significava que não havia muito oceano entre a Europa e a Ásia. Eles também achavam que a Ásia se projetava mais para o leste, e que o Japão e as outras ilhas eram mais distantes do continente do que de fato são.

Colombo teve dificuldades para conseguir apoio financeiro em Portugal para sua proposta de viagem e se mudou para a Espanha, em 1485, onde, depois de muito esforço e persistência, finalmente encontrou o patrocínio que buscava. O rei Fernando e a rainha Isabel, embora dispostos a apoiar sua tentativa, não estavam totalmente convencidos de seu sucesso.

Colombo planejou o uso de três naus, a *Santa Maria*, a *Pinta* e a *Niña*, e organizou a tripulação. A frota partiu em 3 de agosto de 1492. Ficaram no mar por mais de dois meses, navegando muito mais tempo do que previram. Depois de ficarem apreensivos quanto ao paradeiro, finalmente deram em terra.

Embora não soubesse na época, dois grupos de pessoas de duas partes muito diferentes do mundo estavam prestes a se encontrar. Embora os europeus não tivessem notícia de sua existência, havia gente morando nas Américas fazia pelo menos 15 mil anos.

Pensava-se que os primeiros americanos a chegar ao continente vieram da Ásia durante a última Era Glacial. Os níveis do mar eram mais baixos nessa época, e uma ponte de terra ligava a Ásia à América onde hoje fica o estreito de Bering. Da mesma forma que animais, como mamutes, chegaram à América dessa forma, o mesmo fizeram as pessoas. Depois da última Era Glacial, cerca de 10 mil anos atrás, o nível do mar subiu, a ponte de terra desapareceu e as Américas se tornaram isoladas do resto do mundo.

Nos milênios que se seguiram, tribos se deslocaram e povoaram todo o continente americano, do Alasca, ao norte, ao extremo sul da América do Sul. Algumas tribos eram de caçadores-coletores nômades; outras se fixaram essencialmente em um local e tinham uma vida agrícola. Em várias áreas, havia densos centros populacionais, com impérios governando tribos menores.

Os *vikings* da Escandinávia tinham feito contato com a América do Norte quinhentos anos antes de Colombo, mas não tiveram muito impacto sobre a população indígena, e outros europeus da época de Colombo não sabiam desse contato.

OS PRIMEIROS CONTATOS

Em 12 de outubro de 1492, americanos e europeus se encontraram pela primeira vez desde que os *vikings* navegavam pelo Atlântico norte, um encontro que se mostraria mais funesto do que qualquer um dos lados teria imaginado. À medida que navegavam para mais perto de uma ilha no que agora chamamos de Bahamas, Colombo e sua tripulação viam pessoas na praia os observando. Eles remaram para a margem levando bandeiras e, numa atitude típica do europeu colonial, decretaram que a terra era deles, chamando-a de San Salvador.

Não há registro do que os habitantes pensaram dos recém-chegados, mas tudo leva a crer que eram amistosos. Sem perceber que tinha ido parar em uma parte inteiramente nova do mundo, Colombo acreditava ter chegado à Ásia. Na verdade, ele imaginava estar bem perto da Índia e, como o povo da ilha tinha pele mais escura do que os europeus, os chamou de índios. Eles eram na verdade tainos, integrantes do grupo lingüístico aruaque que habitava uma área da Amazônia ao Caribe.

Depois de explorar a região mais um pouco, Colombo navegou de volta à Espanha, ainda pensando ter chegado à Ásia. Em casa, ele contou histórias de suas aventuras, do povo que encontrara e de todas as coisas que vira.

As novas terras com que Colombo tinha topado eram fascinantes e um completo mistério para as pessoas na Europa. Estava bem claro que fora descoberta uma parte antes desconhecida do mundo, mas ninguém tinha certeza de como colocá-la no mapa do mundo conhecido à época. Quando começaram a perceber mais sobre o que Colombo encontrara — toda uma nova parte do mundo de cuja existência ninguém na Europa tinha notícia —, ele se tornou um herói.

Um ano depois, Colombo liderou uma segunda viagem às novas terras, dessa vez com 17 barcos que levavam 1.200 pessoas, os primeiros europeus a colonizar permanentemente as Américas. Os viajantes levaram cavalos, vacas, ovelhas, cabras, porcos e trigo e, num sinal sinistro do que estava por vir, também levaram tropas montadas e armadas.

Logo se seguiram outras viagens européias, em que os exploradores se aventuravam ainda mais fundo na América Central e na América do Sul, fazendo contato com os povos de lá. A relação entre os nativos americanos e os europeus logo deu uma guinada para pior. Começaram as lutas pelo poder, e os habitantes, que simplesmente não podiam competir com o armamento europeu e as tropas montadas, foram capturados como escravos.

Os nativos americanos estavam para sofrer por um motivo além da violência da guerra e a escravidão. Desde o primeiro contato de Colombo e sua tripulação, eles começaram a sofrer de uma série de terríveis doenças, inclusive *influenza*, varíola, sarampo, peste bubônica, gripe comum, malária e tuberculose.

Os efeitos desses surtos foram apavorantes. A epidemia foi tão grave que se estima que de 50 a 80% da população americana tenha morrido. Toda uma geração de adultos em idade reprodutiva foi varrida pela doença, o que impossibilitou a recuperação dos níveis da população. As taxas de nascimento caíram e, como conseqüência, os níveis da população despencaram ainda mais. As sociedades organizadas que existiam antes da chegada dos europeus ficaram completamente arrasadas.

Há pouca dúvida de que esses surtos de doença tenham provocado mais mortes entre os nativos americanos do que qualquer outra coisa. Mas por que essas epidemias ocorreram? E por que afetaram tanto os americanos enquanto os europeus continuaram, em termos relativos, saudáveis?

Em populações nas quais certas doenças se tornam endêmicas, em geral as crianças são as únicas infectadas. Quase todos os adultos são imunes, porque os que sobreviveram à doença quando criança adquiriram imunidade. As taxas de mortalidade entre crianças numa população em que determinada doença é endêmica podem ser bem altas, mas, como a doença não afeta os adultos de modo geral, a taxa de mortalidade na população em geral é bem baixa. Porém, numa população como a das Américas, onde nem crianças nem adultos tinham sido expostos a doenças como *influenza* e varíola, a taxa de mortalidade pode ser elevada.

Essa hipótese sem dúvida é verdadeira para muitas doenças que os nativos americanos sofreram depois da chegada de Colombo, mas a origem de certa enfermidade, que ocorreu em proporções epidêmicas, sempre esteve sujeita a debate: a tuberculose. Para alguns pesquisadores, a tuberculose pode ter surgido ali muito antes da chegada de Colombo.

Essa idéia tem origem no fato de que vários restos humanos pré-colombianos foram encontrados com efeitos patológicos que pareciam o resultado de infecção tubercular. Várias infecções tuberculares podem causar mudanças irreversíveis nos pacientes, sendo uma das mais óbvias a deformidade na coluna, a "corcunda". Podem também causar lesões. Porém, lesões semelhantes às causadas pela tuberculose podem ser provocadas por várias outras doenças, inclusive infecções bacterianas ou micóticas e até por parasitas. Assim, embora a presença de lesões nesses restos humanos possam indicar que os povos pré-colombianos morreram de tuberculose, não é uma prova inconteste.

TUBERCULOSE E DNA

Numa tentativa de resolver o quebra-cabeça, o patologista Arthur Aufderheide e o biologista molecular Wilmar Salo, da Universidade de Minnesota, junto com vários colegas, decidiram ver se podiam provar, usando DNA antigo, a teoria de que a tuberculose estava presente nas Américas antes da chegada de Colombo.

A chave para seus experimentos no início da década de 1990 foi a múmia de uma mulher do sul do Peru, cujo corpo fora exumado de uma tumba vários anos antes. A mulher tinha cerca de 40 anos quando morreu, e a datação por radiocarbono indicou que morrera há não menos de mil anos. O fundamental é que tinha em seu corpo sinais de que ela podia ter sofrido de tuberculose. Para Aufderheide e seus colegas, ela era a candidata perfeita para testar a teoria de que a tuberculose estava presente nas Américas séculos antes de Colombo sequer ter nascido.

Com cuidado, sempre cientes da ameaça de contaminação, os pesquisadores extraíram DNA de uma lesão pulmonar e de um nódulo linfático. Empregando o mesmo método básico que Raoult utilizara com os dentes de vítimas suspeitas de Peste Negra, os pesquisadores fizeram uma reação em PCR que se concentrava num segmento de DNA exclusivamente da bactéria que causa a tuberculose, a *Mycobacterium tuberculosis*. Os resultados não deixaram dúvida. A mulher, que morrera quinhentos anos antes de Colombo chegar à América, *sofrera mesmo* de tuberculose. "Isso nos dá o indício mais específico possível da presença pré-colombiana de tuberculose humana no Novo Mundo", anunciou, triunfante, a equipe de pesquisa.

Salo, Aufderheide e sua equipe repetiram o experimento com uma segunda múmia pré-colombiana, uma menina de 12 anos do Chile. Novamente descobriram a presença de DNA de *Mycobacterium tuberculosis*, o que corroborava seu primeiro resultado, fornecendo indícios ainda mais fortes de que a tuberculose não foi introduzida nas Américas por Colombo.

Por fim, para ter uma idéia do grau de disseminação da doença na época pré-colombiana, os pesquisadores americanos e canadenses Mark Braun, Della Cook e Susan Pfeiffer procuraram por DNA de *Mycobacterium tuberculosis* em outras duas fontes de restos humanos, um ossuário canadense do século XV e um local de sepultamento no Mississippi do século XI. De novo encontraram DNA de tuberculose, o que indicava não só a presença da tuberculose na América pré-colombiana, como sua grande disseminação.

Embora a pesquisa de DNA antigo confirme que Colombo não foi responsável pela introdução da tuberculose nas Américas, permanece o fato de que houve surtos arrasadores da doença entre as populações nativas depois de sua chegada. Por que isso aconteceu, se a tuberculose era endêmica?

Há várias respostas possíveis. Primeiro, Colombo pode ter trazido uma cepa diferente de tuberculose, que a população americana nunca enfrentara antes e para a qual não tinha resistência. É até possível que uma cepa da doença tenha chegado com Colombo e se misturado com uma cepa já presente, produzindo uma nova versão letal.

No momento, só podemos especular sobre essas hipóteses. Para determinar se realmente isso ocorreu, os pesquisadores precisarão examinar em detalhes o DNA das cepas de tuberculose presentes na Europa e nas Américas e compará-las.

Outra possibilidade é que Colombo *fosse* culpado dos surtos de tuberculose, não por ter introduzido a doença, mas devido à influência que ele e seus contemporâneos exerceram sobre os povos americanos. A guerra, a escravidão e os deslocamentos são fatores que podem ter tornado esses povos mais suscetíveis à doença. Aufderheide suspeita que a epidemia tenha sido trazida dessa forma, por fatores semelhantes aos que levam epidemias a irromper em populações de migrantes hoje em dia. As mudanças no comportamento e no ambiente podem fazer com que doenças já presentes em uma população irrompam como epidemia.

Mas há ainda outro mistério. Se Colombo não introduziu a tuberculose nas Américas, como ela chegou lá? Será que já se fazia presente entre os primeiros habitantes? Será que se instalou quando eles cruzaram a ponte de terra de Bering? Será que chegou à América quando da visita dos *vikings*? Quem sabe um dia tenhamos as respostas.

A grande pandemia de influenza

Agora é hora de passar à história do terceiro megassurto de doença, a grande pandemia de *influenza* de 1918. Por quaisquer padrões, esse foi um dos piores surtos de doença infecciosa testemunhado em épocas recentes. Mas de onde veio e por que se espalhou com tamanha velocidade? E por que, naquele ano, a gripe — em geral uma doença benigna para a maior parte da população — foi tão incomum e letal?

Por oitenta anos os pesquisadores tentaram encontrar as respostas a essas perguntas, e agora o progresso na tecnologia de DNA antigo está começando a revelar a verdade.

Ninguém jamais vira nada parecido com a pandemia de gripe de 1918. Ela começou na Espanha, em setembro, e se alastrou como fogo. Um mês depois, a doença tinha chegado à maior parte do mundo, inclusive à América do Norte e ao norte do Alasca, Europa e às ilhas do Pacífico, até áreas muito remotas. Em outubro de 1918, os únicos lugares do mundo onde a gripe não tinha deixado sua marca eram a Austrália e algumas ilhas isoladas.

Ninguém tinha dúvida de que se vivia a epidemia de gripe mais letal na história registrada. Para começar, a taxa de mortalidade era imensa. Normalmente, a gripe mata menos de um em mil dos infectados, mas a de 1918 matou mais de um em quarenta daqueles que foram infelizes o bastante para contrair a doença. Ainda mais incomum foi que a maioria dos que morreram eram jovens adultos que antes gozavam de perfeita saúde.

A doença afetou suas vítimas de várias formas. Cerca de 20% tiveram a sorte de desenvolver não mais que um resfriado comum que não foi particularmente grave. E logo se recuperaram. Os 80% restantes, porém, sofreram formas da doença muito piores.

Alguns tiveram uma doença que por alguns dias parecia ser uma gripe normal, mas depois progrediu para uma pneumonia grave. Alguns se recuperaram disso, mas outros não tiveram tanta sorte. Alguns infelizes ficaram extremamente doentes sem experimentar primeiro os sintomas normais da gripe. Seus pulmões se encheram de secreção e manchas vermelhas apareceram na pele. Os que desenvolviam essa forma da doença quase invariavelmente morriam. Uma pessoa perfeitamente saudável começaria se sentindo meio mal, com dores e cansada, e dias depois, às vezes horas, estaria morta. A doença destruía o tecido pulmonar, o que significava que a vítima simplesmente sufocava.

A origem e a causa da doença eram um mistério desde o começo, mas os boatos sobre sua natureza eram abundantes. Seria uma guerra biológica? Já que a pandemia apareceu no final da Primeira Guerra Mundial, é compreensível que essa idéia se desenvolvesse. A verdade é que ninguém sabia o que estavam enfrentando. A doença era tão diferente de uma gripe normal que primeiro se pensou que podia ser uma doença atípica, talvez botulismo, cólera, tifo ou algo totalmente novo. Por fim ficou claro que a doença era na verdade uma forma grave de *influenza*, mas suas origens e o motivo para sua letalidade ainda eram obscuros.

Várias medidas de prevenção foram adotadas, numa tentativa de deter a disseminação da doença. Na cidade mais afetada da América do Norte, a Filadélfia, teve início uma campanha pública para impedir as pessoas de tossir, espirrar e cuspir. Lugares onde um grande número de pessoas se reuniam, como escolas, clubes e igrejas, foram fechados.

Em outros lugares, novas medidas eram adotadas para evitar que a doença se espalhasse. Foram administrados *sprays* e gargarejos com álcool e anti-sépticos a muita gente, e distribuíram-se máscaras para uso em público. Nas bases militares, lençóis eram pendurados entre as camas e desciam até o meio de mesas.

Havia vacinação, mas não era eficaz. Algumas vacinas tinham bactérias que na época eram consideradas a causa da gripe; outras tinham misturas de secreções corporais de vítimas da gripe. Não surpreende que elas não evitassem o surgimento da doença, além de serem muito dolorosas. A realidade é que não havia esperança de desenvolver uma vacina útil, porque ninguém na época tinha idéia sequer dos patógenos que causavam as cepas comuns de gripe.

Assim como não havia forma de evitar a doença, tampouco existia tratamento para os infectados. Eles só podiam receber cuidados básicos e tentar tranqüilizar-se na esperança de ter forças para se recuperar.

Estima-se que 20% da população do mundo tenha contraído a gripe de 1918. Em algumas regiões, a porcentagem era ainda maior. Na Marinha dos Estados Unidos, por exemplo, 40% dos marinheiros recrutados, todos adultos jovens e saudáveis, foram infectados. Na Filadélfia, só em 10 de outubro de 1918, morreu um número inacreditável de 759 pessoas. A doença foi tão grave que nem sequer se conseguia enterrar todos os mortos, já que eram muitos.

A pandemia entrou por 1919, matando pelo menos 20 milhões de pessoas em todo o mundo. O tributo da morte pode ter sido ainda mais alto devido à ausência de relatos em muitos países — alguns estimam uma taxa de 100 milhões.

A pandemia de gripe de 1918 foi um grande choque para a sociedade ocidental, pois, graças aos melhoramentos da medicina, as doenças infecciosas em geral tinham um impacto muito menor do que no passado. A mortalidade por tuberculose, tifo e sarampo foi muito reduzida devido à vacinação e a mais cuidados de higiene e saúde em geral. Sempre houve pandemias de doenças como o cólera e a peste bubônica em toda a história registrada, e sem dúvida também antes disso. Mas, em 1918, parecia que um surto mundial de doenças letais era coisa do passado.

Assim que a pandemia começou, os pesquisadores ficaram ansiosos para descobrir de onde vinha, o que a causava e por que era tão letal. Embora a gripe ainda estivesse ativa, os médicos tentaram descobrir como a doença se disseminava experimentando infectar pessoas perfeitamente saudáveis por contato direto com os infectados, ou usando extratos de muco e outras secreções corporais. Hoje, arriscar a vida de indivíduos saudáveis dessa forma seria considerado totalmente antiético, mas na época era a única alternativa para salvar muitas outras pessoas. Infelizmente, pouco se ganhou com esse experimento.

Outros pesquisadores buscaram padrões de disseminação da doença para ver se conseguiriam alguma pista. O que descobriram só fez aumentar o mistério. Essa gripe parecia disseminar-se de uma forma muito estranha, saltando ao acaso, surgindo em lugares onde não parecia ter havido contato pessoal com outras áreas atingidas.

Muitos outros estudos foram feitos ao longo da pandemia de gripe de 1918, mas pouco se descobriu que pudesse lançar uma luz sobre o que causava a doença, de onde vinha ou como se disseminava. A essa altura, o agente que causava a *influenza* nem era conhecido, o que significava que havia pouca esperança de descobrir por que a gripe de 1918 era tão incomumente grave.

Depois que a pandemia passou, a doença deixou de aparecer, mesmo esporadicamente, de modo que logo ficou impossível investigar diretamente essa cepa específica de gripe, e as muitas perguntas que trouxe continuaram sem resposta.

Embora não se pudesse mais estudar a gripe de 1918, teve início o trabalho para revelar os segredos da *influenza* humana em geral. A primeira inovação surgiu na década de 1930, quando foram isolados os primeiros vírus da gripe humana, o que significava que a causa da doença podia ser examinada. Também se esclareceu a questão de como novas cepas podiam aparecer quando se descobriu que uma forma de vírus da gripe vive em aves aquáticas selvagens, e que por motivos ainda não inteiramente claros ele pode passar de aves para mamíferos

— levando a cepas novas e às vezes severas no homem. Pensava-se que essas novas cepas de gripe podiam chegar até a população humana primeiro infectando porcos, que são suscetíveis às gripes humana, aviária e suína. Nos porcos, a gripe pode embaralhar os genes, e cepas novas e mistas são transmitidas ao ser humano.

Essa pesquisa possibilitou algumas sugestões sobre as origens da pandemia de 1918. Talvez a doença fosse o resultado de uma cepa de gripe aviária que sofreu mutação e passou para o homem. Isso pode ter acontecido imediatamente antes da chegada da pandemia, ou até alguns anos antes, formando uma cepa que pode ter sofrido outras mutações na população humana, até que por fim se transformou em sua forma letal em 1918. Talvez a doença tenha sido transmitida de aves para suínos, e depois para o homem, ou talvez diretamente das aves para o ser humano.

Sem amostras do verdadeiro vírus que causou a gripe de 1918, era impossível distinguir qual dessas hipóteses era a correta. Quanto ao motivo para a gripe de 1918 ter sido tão virulenta e matado tantos jovens, aqui também a verdade ainda é obscura.

A GRIPE E O DNA

Certo dia, Jeffrey Taubenberger, pesquisador da gripe do Instituto de Patologia das Forças Armadas dos Estados Unidos, teve uma idéia interessante. Será que os genes do vírus da gripe de 1918 ainda estariam à espreita nos restos mortais de suas vítimas? Se assim fosse, essa informação genética poderia ser usada para revelar alguns segredos da doença letal? A história da pandemia de gripe de 1918, e o trabalho de Taubenberger na extração de genes de vírus que a causaram, é contada em detalhes no fascinante livro de Gina Kolata, *Gripe*.

Taubenberger tinha um grande interesse em resolver o quebra-cabeça da gripe de 1918, considerando-o um mistério policial da vida real. "Essa é uma história de detetive", disse ele a Kolata. "Aqui esteve um assassino em massa que andou por aí oitenta anos atrás e nunca foi levado a julgamento. E o que estamos tentando fazer é descobrir o assassino." Assim como o interesse histórico e o mero fascínio que Taubenberger tão obviamente sentia pelo tema, havia outro motivo importante para fazer o trabalho: de forma alarmante, há um risco real de que uma doença dessas possa voltar a emergir. Se soubermos mais sobre ela, talvez possamos ter esperança de combatê-la, caso reapareça.

Taubenberger e seus colegas conseguiram localizar três fontes de tecido pulmonar de pessoas que sucumbiram à gripe de 1918. O primeiro era de Roscoe Vaughn, soldado do Exército americano, de 21 anos. A gripe varrera o acampamento para onde Vaughn fora enviado, na Carolina do Sul. Muitos homens adoeceram e morreram, inclusive Vaughn, que faleceu em 26 de setembro de 1918, exatamente uma semana depois de relatar a doença. Foi realizada uma autópsia, e uma amostra dos pulmões infectados de Vaughn ficou embebida em cera para que as seções pudessem ser examinadas ao microscópio óptico. Não encontraram nenhuma bactéria, mas felizmente a amostra ficou armazenada.

Uma segunda amostra veio de James Downs, de 31 anos, também soldado do Exército americano, dessa vez de um acampamento perto da cidade de Nova York. Downs morreu apenas três dias depois de ser admitido no hospital. Novamente, realizou-se uma autópsia, e uma amostra de seus pulmões sangrentos e cheios de secreção infiltrada com cera foi estudada em detalhes. As duas amostras ficaram armazenadas desde essa época no museu do Instituto de Patologia das Forças Armadas dos Estados Unidos.

Taubenberger e sua equipe tinham uma terceira possível fonte particularmente interessante do vírus. No Alasca, em uma remota colônia de oitenta inuítes, a gripe assolara a aldeia, apesar de seu isolamento, de uma forma tão destrutiva, que só cinco adultos sobreviveram. Os mortos foram enterrados em uma cova comunitária cavada em *permafrost*. A cova foi aberta pelo patologista Johan Hultin, que retirou amostras de tecido e as entregou a Taubenberger.

Taubenberger e seus colegas começaram a trabalhar nas amostras para recuperar material genético. Em geral, isso significaria extrair o DNA. Porém, os vírus da gripe, como muitos vírus, são um pouco diferentes de outros seres vivos nesse aspecto, porque, em vez de usar DNA como material genético, usam uma molécula muito semelhante chamada RNA (ácido ribonucléico). Como o DNA, o RNA consiste em um filamento de unidades menores, chamadas bases. Na verdade o RNA é tão parecido com o DNA que usa três das mesmas bases: adenina (A), guanina (G) e citosina (C). A quarta base é diferente — em vez de a base timina (T), o RNA usa a base chamada uracila (U). O RNA existe em todos os organismos, mas em geral não é o principal material genético. Em vez disso, é usado para várias outras funções na célula, inclusive a importante tarefa de transferir informações do núcleo para o restante da célula. Nos vírus, como o da gripe, porém, o RNA substitui o DNA como material genético, agindo como o DNA, com genes que influenciam a estrutura e o funcionamento do vírus. Assim como o DNA, o RNA do vírus da gripe também é herdado quando o vírus se reproduz.

Depois de extrair o RNA das amostras das vítimas — em um processo análogo ao utilizado para extrair DNA —, os pesquisadores se concentraram em vários genes do vírus de 1918, copiando-os pelo uso de PCR. Em seguida, determinaram a seqüência de bases nos genes copiados. Essas seqüências foram então comparadas com as dos mesmos genes de outras cepas virais mais comuns e com seqüências de cepas de gripe aviária e suína. A tentativa de extrair e seqüenciar genes da gripe a partir de amostras foi um sucesso — até Taubenberger admitiu que pensava que teria pouca chance de êxito, porque o tratamento com cera e a ação do tempo fragmentariam o RNA em pedaços muito pequenos.

A análise das seqüências de gene da gripe, contudo, só tornaram os eventos mais perturbadores: quando as seqüências foram alinhadas, parecia que o vírus de 1918 tinha várias semelhanças com a gripe aviária, mas também diversas semelhanças com as gripes humana e suína. Ainda mais estranho, o quadro parecia variar entre os diferentes vírus de 1918. Algo estranho estava acontecendo, mas era difícil identificar o quê.

Depois que os resultados de Taubenberger e sua equipe foram publicados, uma equipe de pesquisadores da Universidade Nacional da Austrália, inclusive Mark Gibbs e seu pai Adrian, junto com o colega John Armstrong, decidiram reexaminar de uma forma diferente as seqüências de genes que Taubenberger havia extraído para ver se podiam encontrar uma nova perspectiva sobre a questão.

A equipe da universidade decidiu se concentrar em determinado gene da gripe que produz uma proteína conhecida como hemaglutinina. A hemaglutinina se projeta da superfície externa das partículas do vírus da gripe, e é necessária para o vírus quando ele está infectando células. Devido a seu papel na infecção, acreditava-se que uma mutação no gene para a hemaglutinina não só podia alterar a capacidade de infecção do vírus, como afetaria a gravidade da doença que causa — sua "virulência".

A equipe da universidade localizou algo muito incomum no gene da hemaglutinina do vírus de 1918. E percebeu que talvez tivessem encontrado a chave para o mistério. Eles sugeriram que o gene para a hemaglutinina presente no vírus da gripe de 1918 era na verdade uma "quimera" — o resultado de dois genes distintos de hemaglutinina, provenientes de duas cepas diferentes de vírus, que se uniram. Parte desse gene vem de uma cepa de *influenza* suína e parte de uma cepa de *influenza* comum e humana que já existia.

Eles elaboraram a teoria de que, pouco antes da pandemia, uma cepa humana e outra suína da gripe de alguma forma se combinaram, possivelmente em um porco infectado, e permutaram fragmentos de seus genes. O resultado foi uma cepa de gripe humana que continha uma nova hemaglutinina composta.

Os pesquisadores da Universidade Nacional da Austrália acham que esse novo gene era o que tornava a cepa viral de 1918 tão infecciosa, gerando a enorme escala da epidemia. Devido ao surgimento de um novo gene para a hemaglutinina, é possível que as pessoas não tivessem resistência ao vírus porque seus sistemas imunológicos não podiam reconhecer de imediato as novas proteínas. Um gene alterado para a hemaglutinina pode também ter permitido que o vírus infectasse tecido dos pulmões, o que talvez tenha favorecido a gravidade da doença.

Por ironia, os jovens podem ter sido particularmente suscetíveis a essa nova cepa viral porque seu sistema imunológico pode ter produzido uma resposta particularmente forte a ele, durante a qual, como afirma com correção Kolata, "exércitos de glóbulos brancos e secreções podiam correr para os pulmões", levando à pneumonia que matou tanta gente. Seus corpos podem ter sido afetados com tanta violência pelo invasor desconhecido que os sintomas resultantes da luta — como os pulmões cheios de secreção — levaram à morte. Os muito velhos e os muito novos talvez tenham armado uma reação mais fraca, e assim os sintomas que desenvolveram foram menos graves.

Assim, a ciência do DNA antigo ajudou a revelar os mistérios da gripe de 1918 — de onde veio (biologicamente falando) e por que foi tão infecciosa e tão virulenta. Embora as conclusões ainda sejam um tanto controversas, há pouca dúvida de que essa é a melhor explicação, até agora, para a causa de uma das doenças mais letais da história moderna.

Uma das belezas do DNA (entre suas outras características cativantes) é que ele pode dar essas informações interessantes sobre espécies ou populações de animais, aves e até de bactérias ou vírus infecciosos. Mas os segredos do DNA podem revelar muito mais do que isso. O fato de cada ser vivo ter seu próprio DNA exclusivo, sutilmente diferente até de outros membros de sua própria espécie, indica que o DNA também pode ser usado para identificar indivíduos. Esse é o princípio que está por trás da "impressão digital" de DNA, o uso do DNA encontrado em cenas de crimes. A tecnologia também pode ser utilizada para identificar corpos que não seriam identificados por outros meios.

Essa característica do DNA foi usada para investigar dois enigmas históricos, cujas narrativas aparecem nos dois últimos capítulos deste livro. O primeiro é a história de Anastácia, a filha mais nova do último tsar Romanov, Nicolau II.

6

Problemas de identidade

Será que Anastácia sobreviveu à Revolução Russa?

Uma boa história de mistério sempre é intrigante, e ainda mais quando é verídica. Pelo que me recordo, não existe mistério da vida real tão famoso e tão completamente intrigante quanto o destino de Anastácia, a filha mais nova da família imperial russa.

Os efeitos da Revolução Russa de 1917 ainda reverberam pelo mundo. Durante uma série tumultuosa de acontecimentos no início do século XX, a Rússia deixou de ser uma monarquia absolutista, em que o tsar governava com um poder que acreditava ter recebido de Deus, e passou a ser uma república comunista. Nesse processo, a família imperial russa, os Romanov, desapareceram sem deixar vestígios.

O destino dos Romanov — o tsar Nicolau, a tsarina Alexandra e seus filhos Olga, Tatiana, Maria, Anastácia e Aleksei

— foi desde o início envolto em mistério. Em geral se pensava que eles tinham sido brutalmente assassinados por bolcheviques revolucionários para evitar que tentassem retomar o poder. Mas, devido ao fato de seus corpos não terem sido encontrados, não se podia provar que eles morreram, nem — mais importante para nosso mistério — se algum deles sobreviveu.

Anos depois da Revolução Russa, uma mulher misteriosa se apresentou em Berlim. No início ela estava deprimida e retraída, e não disse quem era nem de onde vinha. Depois de algum tempo, porém, confidenciou a suas enfermeiras que era Anastácia, a mais nova das quatro princesas Romanov. O fato de ela fazer uma afirmação dessas não foi considerado particularmente incomum, já que muitos impostores tiraram vantagem das misteriosas circunstâncias que cercaram o desaparecimento de aristocratas. Mas dessa vez havia algo diferente.

Anna Anderson, como preferia ser chamada, tinha uma extraordinária semelhança com Anastácia, e isso, junto com seus modos e comportamento característicos, tornava fácil acreditar que era quem afirmava ser. Também tinha lembranças nítidas de sua infância na família imperial russa e dos pavorosos acontecimentos que cercaram o desaparecimento da família. Em toda a sua longa vida, lutou para conquistar o reconhecimento oficial como Anastácia mas nunca conseguiu, apesar do amplo apoio público.

Agora, anos depois de sua morte, as alegações de Anna foram novamente investigadas, dessa vez com indícios de DNA. O resultado desse extraordinário trabalho é que finalmente, depois de sessenta anos de mistério, sua verdadeira identidade pôde ser revelada.

Uma breve história da Revolução Russa

Na virada para o século XX, o enorme país do Leste Europeu, a Rússia, era governado pela família Romanov havia mais de trezentos anos, e acreditava-se que seu poder era divino, de acordo com a fé ortodoxa russa. O monarca da época era o tsar Nicolau II, que, como os predecessores, era um governante absolutista. Em um país extremamente religioso como a Rússia da época, o direito do tsar de governar como bem entendesse não era questionado.

Unida ao tsar Nicolau como governante da Rússia estava sua esposa, a tsarina Alexandra Feodorovna. Alexandra era descendente da realeza germânica e britânica — seu pai

Retrato das crianças da realeza russa, tirado em 1910-1. Da esquerda para a direita, Tatiana, Anastácia, Aleksei, Maria e Olga (Australian Picture Library).

era o grão-duque Luís IV, do pequeno principado alemão de Hesse, e sua mãe era a princesa Alice, da Bretanha. Como a princesa Alice morreu quando Alexandra tinha 6 anos, a futura imperatriz russa foi criada pela rainha Vitória, a avó. Em um casamento arranjado típico das famílias reais européias da época, Alexandra se casou com o herdeiro do trono russo, Nikolai (Nicolau) Aleksandrovitch, em 1894.

O casal real teve cinco filhos: um menino, Aleksei, e quatro meninas, Olga, Tatiana, Maria e Anastácia.

Anastácia e seus irmãos nasceram em uma época turbulenta da história da Rússia. Pela primeira vez, o direito divino do tsar e sua família ao governo da Rússia era questionado. Nicolau não era um líder tão forte nem impiedoso, e foi particularmente impotente diante do clima revolucionário que fermentava na época. Aos poucos, seu poder começou a erodir.

Nicolau e seus conselheiros podiam ver os problemas no horizonte, e perceberam que teriam de tomar medidas, e rapidamente. Em uma tentativa de acalmar a situação, em 1905 o tsar assinou, com relutância, o Manifesto de Outubro. Esse documento efetivamente limitava o poder do tsar como governante e permitia a criação de uma constituição e de uma assembléia representativa, a Duma.

Mas, apesar das concessões de Nicolau, a inquietação continuava. Na década seguinte aumentou o turbilhão político, à medida que as mudanças no governo ocorriam a um ritmo rápido e alarmante. A frustração com a situação ficou ainda mais forte e o fervor revolucionário explodiu. Num movimento extremo, vários ministros e conselheiros do tsar foram assassinados, inclusive o agora infame amigo e conselheiro da família, Grigori Rasputin.

No inverno de 1917, sobreveio uma época de arrocho, quando uma escassez de pão resultou em protestos e manifestações públicas. Embora em geral fossem pacíficas e não violentas, o tsar ordenou que o exército reprimisse todas as manifestações, numa tentativa radical e desesperada de afirmar seu poder. Seguindo ordens, as tropas abriram fogo contra os manifestantes, e muitos morreram.

Os soldados envolvidos ficaram profundamente perturbados com essa guinada nos acontecimentos e fizeram um pacto para desobedecer a quaisquer ordens de atirar em civis. Desafiados por seu oficial comandante a obedecer, eles se voltaram contra ele e o mataram. Logo havia soldados e trabalhadores rebelados em toda parte. Mais soldados foram mandados para recuperar o controle, mas também eles desertaram. O tsar não podia mais confiar no apoio de suas próprias tropas.

A Duma se reuniu para discutir a situação. Era óbvio que algo radical precisava ser feito antes que se instalasse a completa anarquia, mas não estava claro que rumo de ação deveria ser tomado. A Duma debateu se daria um fim forçado à liderança de Nicolau, mas não queria se arriscar a começar um levante, porque, apesar dos recentes atos do tsar, a família real ainda tinha defensores leais entre o povo da Rússia. Por fim, foi tomada uma decisão — deixar que o próprio tsar decidisse o que fazer.

O presidente da Duma escreveu ao tsar e implorou que ele fizesse concessões para salvar a situação. De início, Nicolau se recusou a tomar conhecimento, mas logo ficou claro que a situação não podia mais ser ignorada. Nicolau percebeu que só havia uma atitude a tomar: ele devia abdicar.

Mas não era fácil encontrar um substituto adequado. O tsarevitch, Aleksei, estava gravemente doente com hemofilia e não podia se tornar líder da Rússia. Nicolau anunciou à Duma que ele abdicaria em favor do irmão, o grão-duque Mikhail Aleksandrovitch. Mas não seria assim. Antes que pudesse assumir o papel de tsar, Mikhail foi alertado pela Duma de que, se aceitasse o trono, sua segurança estaria em risco. Temendo por sua vida, ele rejeitou a oferta e a Rússia ficou sem líder.

Na ausência de um candidato apropriado para se tornar o novo tsar, a Duma ficou provisoriamente no comando da Rússia. Embora planejada para ser um grupo democrático e representativo de todo o povo da Rússia, na realidade a Duma era dominada por profissionais liberais, ricos proprietários de terras e industriais. Só alguns camponeses eram membros, e de forma alguma a Duma tinha o apoio da maioria do povo russo.

O fervor revolucionário tornou-se ainda mais forte, o que talvez fosse inevitável. Formou-se um soviete, ou comitê de greve, cujos membros eleitos eram revolucionários. O soviete manteve sob estreita vigilância o governo provisório, obrigando-o a se mover mais para a esquerda politicamente.

Em março de 1917, o governo provisório ordenou a prisão da família imperial, supostamente para sua própria proteção, no palácio Alexandre, em Tsarskoe Selo, perto de São Petersburgo, onde a família morava desde 1905. Olga, a filha mais velha, tinha 21 anos na época, e Anastácia, a mais nova, 16.

No começo os Romanov se sentiam relativamente seguros e levavam a vida mais ou menos como antes. Mas, sentindo que teriam mais problemas, pediram asilo na Grã-Bretanha. Para sua surpresa, apesar das ligações familiares de Alexandra com a monarquia britânica, o governo britânico não estava disposto a antagonizar com os líderes dos sovietes, e se recusou a atender ao pedido dos Romanov.

Enquanto isso, os camponeses tomavam as terras dos proprietários, e a mudança política continuava a um ritmo cada vez mais acelerado. Embora o governo provisório tendesse cada vez mais para a esquerda, havia vários radicais que queriam levar as coisas adiante, em particular a ala bolchevique do Partido Social Democrata dos Trabalhadores Russos, liderado por Lênin. Desejando o poder, os bolcheviques quase derrubaram o governo provisório em julho.

Em agosto, o governo provisório decidiu mandar a família imperial para o exílio em Tobolsk, na Sibéria. Essa foi uma providência desesperada para garantir sua segurança contra as forças rebeldes, que queriam que Nicolau e Alexandra fossem julgados por crimes contra o povo — um julgamento que por certo resultaria em sua execução. A mudança para a Sibéria foi estritamente sigilosa, e nem a família imperial sabia para onde estava indo. Foram embarcados em um trem disfarçado de transporte da Cruz Vermelha, com muitos criados, uma grande quantidade de bagagem e uma guarda da tropa de elite. A família foi acomodada na grande e agradável mansão do ex-governador em Tobolsk, onde ficou por oito meses. Era vigiada pelos guardas, que eram agradáveis e educados.

Enquanto isso, a situação na capital se agravava. Em novembro houve um golpe, dessa vez bem-sucedido, e os bolcheviques, liderados por Lênin, derrubaram o primeiro-ministro. Isso teve conseqüências terríveis para a família imperial. Suas verbas foram cortadas e novos soldados foram mandados para vigiá-la, com a ordem de não tratar ninguém com a gentileza dos guardas anteriores.

A influência bolchevique começou a se espalhar. Nem na Sibéria a família real podia escapar dela. Em abril de 1918, Nicolau, Alexandra e sua filha Maria foram presos em Ekaterinburgo, cidade mineradora nos Urais. As outras crianças ficaram em Tobolsk, já que Aleksei não estava bem para viajar. Em 23 de maio de 1918, tendo Aleksei se recuperado um pouco, ele e as três outras meninas também foram levados a Ekaterinburgo. Vários criados, inclusive o dr. Eugene Sergueievitch Botkin, o médico pessoal da família, também foram presos. Outros membros leais da comitiva imperial ou foram presos, ou executados, ou simplesmente perderam o contato com a família.

A família foi mantida na Casa Ipatiev por dois meses, e ainda não se sabe exatamente o que aconteceu nessa época. As atividades da família eram mantidas em total sigilo, mas sabe-se que ela era vigiada de perto e seus movimentos na prisão eram severamente restringidos.

Na noite de 16 de junho de 1918, toda a família imperial — e quatro de seus criados mais leais, inclusive o dr. Botkin — desapareceu completamente e nunca mais foi vista.

Por um bom tempo, ninguém de fato soube o que tinha acontecido naquela terrível noite. No dia seguinte, começaram a circular boatos de que toda a família imperial estava morta, assassinada por rebeldes bolcheviques, mas isso de início foi negado pelo gabinete de Lênin. Não surpreende que tenha havido muito interesse público pelo destino da família imperial, tanto na Rússia como no exterior.

Logo depois da noite fatídica, Nikolai Sokolov, um investigador monarquista, começou a examinar os acontecimentos em detalhes. Com base nos indícios disponíveis, que não eram nada completos, ele concluiu que na noite de 16 de junho de 1918 a família foi levada ao porão da Casa Ipatiev e impiedosamente assassinada pelo esquadrão de fuzilamento bolchevique. Depois, concluiu, os corpos foram retirados e enterrados, em um local sem marcas e sigiloso. Sokolov escreveu sete volumes de relatório dos acontecimentos, que sempre foram a versão oficial do que ocorreu naquela noite.

Mas não foi possível verificar o relato de Sokolov porque, apesar do enorme esforço, os corpos da família imperial não foram encontrados. Sokolov descobriu o que ele pensava ser o provável local do sepultamento, mas este não abrigava restos mortais humanos, apenas cinzas. Sua conclusão foi de que os corpos da família imperial tinham sido totalmente queimados. Na ausência de restos mortais reconhecíveis, era impossível dizer quem morreu naquela noite e se alguém da família havia sobrevivido.

Em 1919, o Exército Vermelho tomou Ekaterinburgo, e Sokolov foi proibido de continuar a investigar o desaparecimento dos Romanov. O mistério do destino da família Romanov ficou sem solução, o que não significa que tenha sido esquecido. Na verdade, aconteceu exatamente o contrário.

Boatos régios

Depois dos relatos dos assassinatos, era como se todos no mundo ocidental estivessem muito interessados na família imperial russa. Livros e artigos sobre eles foram publicados, junto com o conteúdo de seus diários, bem como relatos de "testemunhas oculares" de sua vida e de seu assassinato. Os jornais e revistas estampavam suas fotos, junto com a história de seu desaparecimento.

Mas não foram só as circunstâncias da morte que aumentaram o interesse e a especulação. Quase imediatamente depois do desaparecimento da família imperial, espalhou-se um boato de que pelo menos uma das filhas do tsar ainda estava viva.

O próprio Sokolov deu mais substância à história quando concluiu que uma ou duas princesas podiam ter escapado naquela noite. A mãe do tsar Nicolau, a imperatriz Marie Feodorovna, foi além, e insistiu que o filho e o resto da família ainda estavam vivos. Muitos outros também acreditavam que pelo menos alguns membros da família não haviam sido mortos, mas estavam escondidos em algum lugar. Houve quem afirmasse tê-los visto. Um anúncio do soviete dizia que o tsar fora o único a morrer, dando mais peso à especulação.

Na ausência de algum indício e com uma infinidade de relatos conflitantes, parecia que ninguém podia saber a verdade. No entender de qualquer um, era inteiramente possível que um membro da família imperial russa ainda estivesse vivo e pudesse aparecer a qualquer momento.

A "srta. Desconhecida", a mulher misteriosa

Às nove da noite de 17 de fevereiro de 1920, uma jovem foi retirada do canal Landwhehr, em Berlim. Supostamente tentando tirar a própria vida, ela pulara da ponte Bendler na água fria. Foi levada ao hospital, onde a equipe médica tentou descobrir quem era. Apesar das repetidas perguntas, porém, ela se recusava a dizer quem era ou por que havia pulado. Não tinha identificação que permitisse às autoridades saber quem era.

Depois de semanas no hospital e muitas outras tentativas de conseguir que ela falasse, a jovem foi mandada ao Sanatório Dalldorf, perto de Berlim, com diagnóstico oficial de "melancolia". Os médicos de lá continuaram a interrogá-la, mas em vão. A polícia procurou por todos os registros de pessoas desaparecidas, mas não encontrou ninguém que combinasse com a descrição dela. As autoridades nem sequer conseguiram determinar seu país de origem, embora não pensassem que fosse alemã.

Batizada pelas autoridades de Fräulein Unbekannt ("srta. Desconhecida"), a jovem ficava extremamente reclusa e não queria se relacionar com os outros pacientes, ou participar das atividades do sanatório, mesmo de caminhadas diárias. Ela perdeu muito peso e passava a maior parte do tempo deitada, de frente para a parede. Era reservada e em geral escondia o rosto debaixo das cobertas.

Por dois anos ela guardou silêncio, sem nada dizer sobre sua origem. E então, um dia, finalmente falou, e disse às enfermeiras que ela era Anastácia, filha do tsar Nicolau II da Rússia. Confidenciou que estava com medo de ser morta e que o sanatório era o único lugar em que se sentia segura.

As afirmações de Fräulein Unbekannt não eram em si surpreendentes, porque não era a primeira vez, desde a revolução, que uma mulher informava ser membro da família imperial russa. Na verdade, os impostores eram surpreendentemente comuns, e ao longo da história houve vários exemplos de pessoas que afirmavam ser membros desaparecidos de famílias reais ou aristocráticas.

Dada a longa história de pretendentes e impostores, talvez fosse inevitável que nos anos que se seguiram à Revolução Russa aparecessem pessoas que afirmavam ser Anastácia ou um de seus parentes. Na verdade, apareceram "membros" da família imperial em todo o mundo. Muitos eram fraudes evidentes e não foram levados a sério em momento algum. Nessa ótica, teria sido fácil repudiar Fräulein Unbakannt como a mais recente de uma série de pretendentes a Anastácia. Esta pretendente, porém, era diferente.

Para começar, tinha uma misteriosa semelhança com Anastácia em particular e com a família imperial russa em geral. Falava russo com fluência e tinha um conhecimento íntimo dos acontecimentos da Revolução e das atividades da família imperial. Graças a esses fatores, foi fácil para muitos acreditar que ela era quem dizia ser. Fräulein Unbekannt, em vez de ser repudiada como uma fraude, logo conquistou apoio popular para suas alegações, e tinha uma infinidade de fiéis seguidores.

Um importante grupo entre os defensores de Fräulein Unbekannt eram os exilados russos. Depois da revolução, vários grupos monarquistas russos foram para o exílio na Alemanha; particularmente em Berlim havia uma grande comunidade russa. Depois de conhecê-la, os membros desse grupo logo passaram a acreditar que a mulher desconhecida podia de fato ser Anastácia.

De início, Fräulein Unbekannt recusou-se a colaborar com eles, preferindo ficar escondida. Longe de afastar seus defensores, sua relutância aumentou a crença que tinham nela. Por fim ela concordou em ser removida do hospital, aos cuidados de membros da comunidade russa de Berlim, permanecendo primeiro com o barão Arthur von Kleist, que fora um policial de província, e sua esposa, Maria. Para eles, ela revelou mais detalhes de sua história, inclusive sua fuga dos bolcheviques e sua vida desde então. Disse também que gostaria de ser chamada de Anna, forma abreviada de Anastácia.

Depois de receber alta, Anna passou a vida com vários exilados russos. Durante esse período, ela sofreu de uma série de doenças graves, e entrava e saía do hospital. Ainda hesitava em falar com alguém sobre sua identidade, o que, combinado a sua personalidade um tanto difícil, levou vários de seus defensores e aliados a se frustrarem com ela e retirarem seu apoio. Anna era excêntrica, tinha tendência ao mau gênio e costumava ser muito desagradável com os aliados mais próximos. Mas bastava que um defensor desistisse dela para outro aparecer. A realidade era que muitos estavam convencidos de que ela era Anastácia.

Porém, havia outro grupo que não acreditava em absoluto na história dela, em particular vários sobreviventes das famílias Romanov e Hesse. A irmã da tsarina, a princesa Irene da Prússia, visitou Anna e logo ficou convencida de que ela não era sincera. O irmão da tsarina, o grão-duque Ernst Ludwig de Hesse-Darmstadt, recusou-se até a se encontrar com ela, e tinha a firme convicção de que ela era uma fraude. A irmã do tsar, a grã-duquesa Olga, visitou Anna e concluiu que ela certamente não era Anastácia. Sydney Gibbs, que fora preceptor de inglês das crianças Romanov, também não acreditava nela. "Ela de forma alguma lembra a verdadeira grã-duquesa Anastácia que eu conheci, e estou convencido de que é uma impostora", disse categoricamente.

Os maiores defensores de Anna

Apesar disso, vários outros parentes e amigos do tsar e da tsarina, que conheceram bem Anastácia, acreditavam que Anna era sincera. Alguns até estavam dispostos a lutar por sua causa. Dois desses defensores eram Gleb Botkin e sua irmã Tatiana. O pai de Gleb e Tatiana era o dr. Eugene Botkin, o médico real que se acreditava ter morrido junto com a família Romanov naquela noite de 1918. Quando crianças, Gleb e Tatiana brincavam com Anastácia e seu irmão e irmãs, e assim tinham um conhecimento íntimo da família imperial russa.

Depois da Revolução, Gleb fugiu para morar nos Estados Unidos e Tatiana foi para a França. Os dois visitaram Anna e ficaram completamente convencidos de que ela era a Anastácia que conheceram quando crianças. Gleb tornou-se seu defensor mais franco. Tão convencido estava de que

Anna era sincera que chegou a ponto de atacar publicamente membros da família Romanov por negar o que ele considerava ser a verdadeira identidade de Anna.

Por sugestão de Gleb, Anna se mudou para os Estados Unidos. Gleb era escritor e publicou vários artigos sobre ela, e assim, quando Anna chegou a Nova York, houve um verdadeiro frenesi da mídia. Numa tentativa de proteger sua identidade da mídia, Anna adotou o sobrenome Anderson, que manteve pelo resto da vida. Estamos agora em 1928, dez anos depois do desaparecimento da família imperial russa.

Depois de viver vários anos nos Estados Unidos, Anna foi mandada de volta a um sanatório da Alemanha, tendo sofrido muito estresse e se tornado amargamente nervosa, em grande parte devido à constante atenção da mídia que teve de enfrentar. Logo depois de seu retorno à Alemanha, ela conquistou outro importante defensor, o príncipe Frederick de Saxe-Altenburg, parente distante dos Romanov.

Longe de escapar da atenção na Alemanha, Anna simplesmente continuou a ficar cada vez mais famosa. Parecia que todo mundo sabia dela, quer acreditassem ou não em sua sinceridade. Depois de ter alta do sanatório, ela morou nos anos seguintes com vários defensores e pessoas simpáticas a sua causa.

A busca de reconhecimento oficial

Foi mais ou menos nessa época que Anna começou a busca de reconhecimento oficial de sua identidade como Anastácia.

Embora Anna genuinamente quisesse ser reconhecida como a mulher que afirmava ser, muita gente achava que ser reconhecida como a única sobrevivente dos descendentes do tsar significaria mais do que apenas um nome de família e um legado histórico.

Essas pessoas pensavam que, se Anna de fato fosse Anastácia, ela seria herdeira de uma vasta fortuna. A família imperial russa era incrivelmente rica e, embora a maior parte de suas posses tivesse sido confiscada durante a Revolução, havia boatos de que o tsar escondera dinheiro em vários lugares, fora da Rússia, algum tempo antes. Qualquer sobrevivente da família seria herdeiro dessa fortuna, se fosse recuperada.

Se fosse legalmente possível provar que Anna era Anastácia, a única filha sobrevivente do tsar, ela seria a primeira na linha de sucessão e seus defensores provavelmente também ganhariam. Outros Romanov que viviam no exílio também precisavam desesperadamente de dinheiro, por terem perdido tudo na Revolução. Dessa perspectiva, é difícil dizer quantos de seus defensores e detratores eram motivados por uma crença verdadeira em quem ela era, ou pela possível fortuna envolvida.

O processo começou em 1938, e sua duração, com avanços e recuos, foi de inacreditáveis 37 anos. À medida que o caso se arrastava, Anna continuava a morar na Alemanha. Ajudada pelo príncipe Frederick, passou a viver em uma pequena cabana na Floresta Negra, numa tentativa de se isolar da constante atenção da mídia. Ficou ali por muitos anos, cercada por mais de sessenta gatos.

Em 1970, a Suprema Corte da Alemanha Ocidental por fim julgou a alegação de Anna Anderson de que era Anastácia. A decisão foi inconclusiva, declarando o tribunal que "não podia ser determinado nem refutado" se Anna era Anastácia. Isso significava que Anna não podia ter o reconhecimento da identidade como Anastácia, como era seu desejo.

Porém, embora alguns dos investimentos do tsar tivessem sido localizados, a vasta fortuna cuja existência fora ventilada nunca se materializou. Nunca foi encontrada, e é possível que nem sequer tenha existido.

Em 1968, aos 67 anos, Anna voltou a morar nos Estados Unidos, novamente por sugestão de Gleb Botkin. Foi ali que conheceu Jack Manahan, amigo de Gleb, um executivo rico interessado na história das famílias reais européias. Ele acreditou na história dela e tornou-se seu mais leal defensor. Ele também se tornou seu marido; ela se casou com ele em dezembro daquele ano. Passou o resto da vida nos Estados Unidos com Jack e morreu em 1984, aos 82 anos. Até o fim ela jurou ser Anastácia, uma alegação que não podia ser provada nem refutada.

A busca do túmulo real

Enquanto isso, as circunstâncias que cercaram o desaparecimento da família imperial russa continuavam um mistério. Desde o início, o governo russo manteve o destino dos Romanov como um segredo bem guardado e, em 1928, as investigações por elementos do povo foram proibidas quando se disse que Stálin anunciara: "Chega dessa história dos Romanov." Desde essa época, ninguém teve permissão para investigar o desaparecimento da família imperial, mas isso não impediu que as pessoas imaginassem. Desde seu desaparecimento, os boatos eram muitos, e apareceu muita gente afirmando ter estado envolvida, ou de alguma forma saber a verdade.

A realidade era que ninguém, além dos presentes naquela noite, sabia da verdadeira história. Não se sabia nem exatamente que membros da família morreram.

Na década de 1970, o geólogo e historiador amador russo Aleksander Avodinin decidiu tentar encontrar o local de sepultamento da família imperial e, com ele, seus restos mortais. Arriscando-se a ser preso se surpreendido, Avodinin começou a reunir qualquer informação que pudesse apontar a direção correta e, junto com um pequeno grupo de auxiliares, procurou em segredo o local de sepultamento nas florestas próximas a Ekaterinburgo.

Depois de vários anos e esforços vãos, ele recebeu a ajuda de Gely Riabov, consultor especial do ministro do Interior, que também queria resolver o mistério dos Romanov. Riabov tinha ligações com a polícia e acesso aos arquivos do Partido Comunista, o que ajudou enormemente a equipe em sua busca.

Por fim, em 1979, o grupo descobriu, em uma floresta de pinheiros nos arredores de Ekaterinburgo, uma cova que suspeitavam ser a da família imperial. Eles a escavaram parcialmente, encontrando alguns restos mortais, mas voltaram a enterrá-los por medo de serem descobertos.

Em princípio, sua descoberta foi mantida em sigilo absoluto. Mas depois a União Soviética entrou em colapso e os arquivos secretos foram abertos. Encontraram-se muitos documentos antes ocultos, inclusive diários da família imperial e relatos de testemunhas oculares do assassinato e do enterro. A cova foi aberta novamente, dessa vez por completo e com sanção oficial.

O governo russo autorizou uma investigação oficial, coordenada pelo legista-chefe da Federação Russa. Como primeiro passo, foi realizado o trabalho forense tradicional — reconstituição facial, estimativa da idade, determinação do sexo e comparação com registros odontológicos — nos restos encontrados na cova rasa. Nove esqueletos muito danificados foram reunidos. Faltavam partes de todos eles, o que tornou o trabalho extremamente difícil.

Como resultado dessas investigações detalhadas, as autoridades forenses russas, junto com uma equipe de especialistas forenses americanos, chegou à conclusão cautelosa de que cinco dos esqueletos eram de membros da família imperial russa — o tsar, a tsarina e três de suas filhas, Olga, Maria e Tatiana. Acreditava-se que a ossada restante era do médico real, o dr. Botkin, e de três criados.

Embora essas investigações forenses sugerissem fortemente que a cova era da família imperial russa, não se pôde ter certeza absoluta. O problema aumentou com os boatos de que os restos mortais eram de outra família, colocados ali como chamariz.

O DNA e a realeza russa

Foi graças a essa incerteza que Peter Gill, especialista do Serviço de Ciência Forense britânico, foi procurado, em 1992, com um pedido incomum. Será que ele e os colegas estariam dispostos a começar uma investigação conjunta com especialistas russos, usando análise de DNA para determinar de uma vez por todas se os restos descobertos em Ekaterinburgo eram de fato os da família imperial russa?

A premissa por trás do trabalho proposto com DNA era basicamente a mesma usada na análise forense de DNA atual realizada quando não é possível identificar a vítima por outros meios. Nessas circunstâncias, extrai-se DNA dos restos mortais da vítima, o qual é comparado com o de possíveis parentes, na esperança de que se possa encontrar uma combinação. No caso dos Romanov, havia uma peculiaridade que proporcionava um desafio a mais — não só a análise envolveria a possível identificação de uma das mais famosas famílias da história moderna, como também envolveria vítimas mortas havia quase oitenta anos.

Era uma ironia que, para a realização da análise de DNA, fosse necessário transportar vários ossos à Grã-Bretanha, o país que se recusara a dar asilo à família imperial tantos anos antes. Os ossos foram levados ao laboratório de Gill, onde pequenos pedaços foram retirados para extrair o DNA para teste. Os testes envolveram várias fases e vários ângulos de investigação.

Primeiro, a equipe de pesquisa determinou o sexo de cada um dos esqueletos ao identificar qual deles continha um fragmento de DNA que só está presente no cromossomo masculino Y. Se esse fragmento de DNA estivesse presente, indicaria que o esqueleto era de homem. Sua ausência mostraria que o esqueleto era de mulher. Os resultados dessa análise revelaram quatro homens e cinco mulheres, um resultado que combinava perfeitamente com a análise forense anterior.

Em seguida, os pesquisadores buscaram relações familiares entre os esqueletos. A partir de uma análise forense anterior, eles já tinham uma indicação de quem cada um podia ser, e isso foi usado como ponto de partida para realizar o teste de DNA. Para começar, os pesquisadores compararam o DNA dos esqueletos que acreditavam pertencer ao tsar e à tsarina com o DNA dos outros três que pensavam ser os filhos. Os métodos usados nessa parte da análise foram semelhantes aos utilizados para determinar a paternidade em questões de rotina envolvendo pessoas vivas. Em geral, retira-se uma raspa da bochecha do suposto pai, da mãe e da criança. O DNA é extraído das células da bochecha e vários fragmentos diferentes são examinados. O perfil de DNA da criança é então comparado com os dos pais. Se os perfis do pai e da criança combinarem, isso indica que o homem é na verdade o pai biológico da criança. Se dois ou mais fragmentos não combinarem com o do pai, então a paternidade deve ser excluída.

Esse método básico de comparar DNA dos pais com o das crianças foi usado com os esqueletos — só que nesse caso o DNA foi extraído dos ossos em vez de raspados da bochecha. Os resultados mostraram que havia realmente uma relação de parentesco entre os cinco supostos esqueletos dos Romanov.

A última fase no trabalho de DNA era investigar se os restos mortais eram de fato da família imperial russa. O trabalho até agora mostrara que havia sem dúvida um grupo familiar, mas isso não provava que eram os Romanov desaparecidos. Como acontece com freqüência na análise forense de DNA, era necessário localizar um parente vivo para que se pudesse comparar as amostras de DNA. Nesse caso, o parente vivo mais adequado à tarefa era ninguém menos do que o príncipe britânico Philip, marido da rainha Elizabeth II.

O príncipe Philip e a tsarina Alexandra eram parentes de sangue, os dois descendentes diretos da rainha Vitória. O príncipe Philip é na verdade sobrinho-neto da tsarina, e assim parente de sangue também dos filhos dela. Isso o transformava em candidato perfeito para comparação. Entusiasmado para saber a verdade, o príncipe Philip generosamente doou uma amostra de sangue para esse propósito.

Enfim, alguns resultados

Gill e seus colegas extraíram DNA da amostra de sangue do príncipe Philip e o compararam com o DNA extraído dos ossos que pensavam ser da tsarina e das três filhas. Como esperavam, combinavam perfeitamente. Graças a essa análise extraordinária, enfim foi possível confirmar que quatro dos corpos encontrados na floresta perto de Ekaterinburgo eram da tsarina Alexandra e de três de suas filhas.

Agora havia mais uma análise a ser feita, para verificar se era autêntico o esqueleto que se pensava ser do tsar Nicolau. Encontrar um parente de Nicolau disposto a doar uma amostra de sangue se mostrou muito mais difícil do que no caso da tsarina, mas por fim os pesquisadores conseguiram localizar dois de seus parentes dispostos a doar amostras de DNA: um trineto e uma tataraneta da avó materna do tsar, Louise de Hesse-Cassel.

O DNA proveniente das amostras dos parentes do tsar foi comparado com o DNA do esqueleto que se pensava pertencer ao tsar Nicolau. Infelizmente, o resultado não foi tão patente quanto para Alexandra e suas filhas. O DNA no esqueleto era muito próximo daquele dos parentes do tsar, mas não era *exatamente* o mesmo. Isso significava que, embora os pesquisadores estivessem confiantes de que o esqueleto era do tsar, não podiam afirmar isso com absoluta certeza. Seria necessário o DNA de um parente mais próximo para confirmar o resultado.

Mas será que esse parente poderia ser encontrado? Os pesquisadores já haviam tido várias dificuldades para localizar parentes vivos do tsar, que dirá um parente extremamente próximo. Mas uma solução engenhosa estava à mão. Em vez de procurar por um parente próximo vivo do tsar, eles decidiram que procurariam por um que já estivesse morto.

Um dos irmãos do tsar, o grão-duque Georgi, morrera de tuberculose aos 28 anos. Para sorte dos pesquisadores, o corpo de Georgi estava sepultado na câmara mortuária da família em São Petersburgo. Se seus restos mortais pudessem ser examinados, isso daria uma oportunidade perfeita, embora um tanto desagradável, de obter DNA de um parente muito próximo.

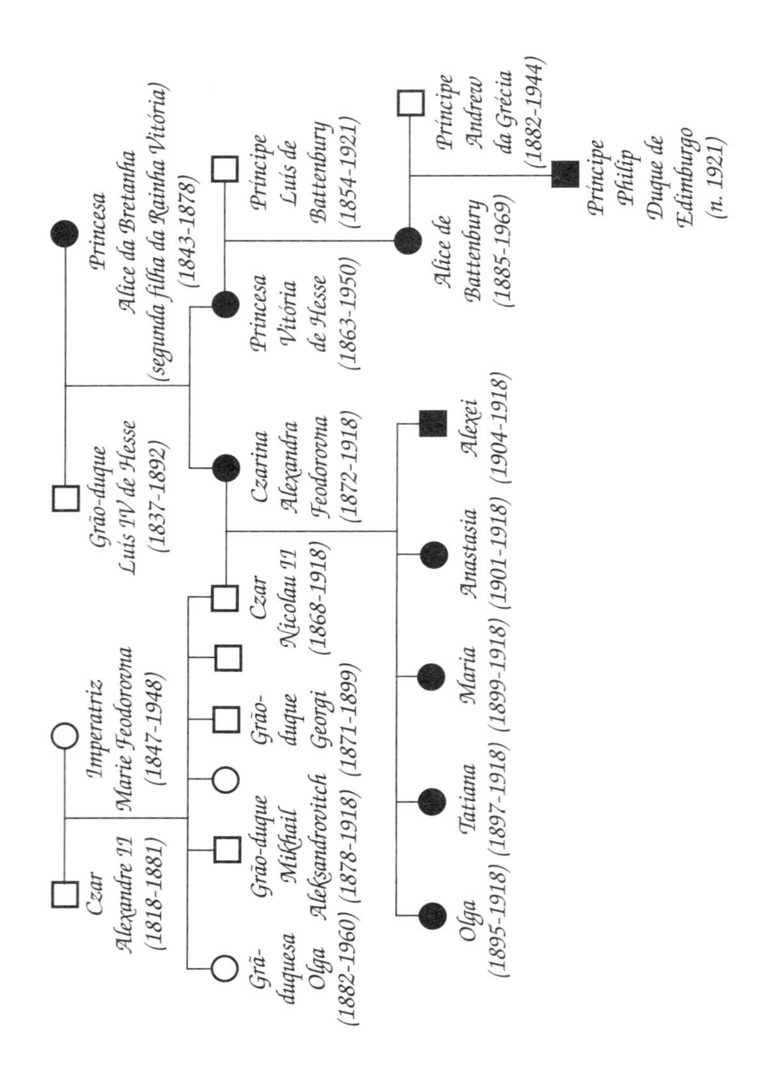

Árvore genealógica da família imperial russa, mostrando a relação de sangue com o príncipe Philip, duque de Edimburgo e consorte da rainha Elizabeth II. A avó do príncipe Philip, a princesa Vitória de Hesse, era irmã da tsarina Alexandra, e a mãe dele era prima de Anastácia.

Os pesquisadores conseguiram permissão para exumar o corpo do grão-duque Georgi, em 1994, e retirar uma amostra a partir da qual extrairam DNA. Depois era uma simples questão comparar o DNA de Georgi com o DNA da ossada que se pensava ser do tsar Nicolau. Dessa vez, combinava perfeitamente.

A pesquisa, segundo Gill, "prova praticamente além de qualquer dúvida que cinco dos nove esqueletos encontrados na floresta perto de Ekaterinburgo eram do tsar, da tsarina e de três de suas filhas".

As crianças desaparecidas

Finalmente, quase poderíamos deixar de lado o mistério do destino da família imperial russa. Quase, por um motivo: além de identificar quem *estava* na cova, as análises forenses e de DNA mostraram quem *não estava* lá — os dois filhos mais novos, Aleksei e Anastácia.

Havia duas explicações possíveis: ou Anastácia e Aleksei tinham morrido e estavam enterrados em outro lugar, ou conseguiram escapar de alguma maneira. Se a segunda hipótese estivesse correta, será que isso significava que Anna Anderson estivera dizendo a verdade o tempo todo? Seria a prova que ela esperou a vida toda?

Só havia uma maneira de saber se Anna fora sincera, e esta era comparar seu DNA com o da família Romanov. Dick Schweitzer decidiu financiar a pesquisa necessária. A esposa de Schweitzer, Marina, é neta do Dr. Eugene Botkin, médico pessoal dos Romanov, e filha de Gleb Botkin, um dos mais fervorosos defensores de Anna. Marina e Dick estavam ansiosos para que a análise de DNA fosse realizada. "Só queremos a verdade", disse Schweitzer.

Schweitzer montou uma equipe de pesquisadores, liderada novamente por Peter Gill. Antes que a pesquisa pudesse seguir adiante, era essencial localizar uma amostra de DNA de Anna para comparar com o DNA da família Romanov. Se Anna de fato fosse Anastácia, seu DNA combinaria perfeitamente com o da mãe de Anastácia, Alexandra, e de suas irmãs.

Localizar DNA de Anna se provou o primeiro grande desafio, porque, quando ela morreu, seu corpo foi cremado, o que significava impossibilidade de se obter DNA a partir das cinzas. Mas, por acaso, anos antes de morrer Anna teve amostras retiradas para biópsia do intestino, e essas amostras estavam armazenadas em um hospital de Charlottesville. Caso a equipe conseguisse permissão para utilizá-las, as amostras podiam servir como fonte de DNA.

Mas não foi fácil obter permissão. Legalmente, devido à questão da confidencialidade de paciente, o hospital não podia liberar as amostras. Era necessário que Schweitzer tivesse permissão oficial. Isso também não foi fácil, em grande parte porque a Associação da Nobreza Russa se opunha veementemente à idéia. Se os testes provassem que Anna era sincera, podia haver conseqüências para a associação. Também havia várias outras partes interessadas, o que significava que o processo de aprovação era muito complexo, mesmo antes que a análise de DNA pudesse começar. Muita gente tinha interesse nos resultados, de uma maneira ou de outra.

Foi tão difícil conseguir permissão para usar amostras da biópsia de Anna que Schweitzer não teve alternativa a não ser entrar com uma ação judicial. Por fim, depois de meses de esforço, Schweitzer obteve permissão para ter acesso às amostras, e a pesquisa pôde continuar.

Peter Gill seguiu de avião da Inglaterra para Charlottesville para coletar as amostras de que precisava. De volta ao laboratório, ele e sua equipe extraíram o DNA de Anna. Agora era uma simples questão de comparação. As seqüências de DNA das amostras da biópsia de Anna foram comparadas com as seqüências extraídas da família Romanov. Elas não combinavam. Só havia uma conclusão que a equipe de pesquisa podia tirar — Anna Anderson não podia ter sido Anastácia.

Os resultados do trabalho logo foram confirmados por um segundo grupo independente de pesquisa, que conseguira localizar uma amostra diferente contendo DNA de Anna. A historiadora amadora Susan Burkhart encontrara uma mecha do cabelo de Anna quando organizava seu espólio. Mark Stoneking, da Universidade Estadual da Pensilvânia, e seus colegas extraíram DNA do cabelo e compararam com os resultados de Gill: foram idênticos. As duas amostras de DNA de Anna eram completamente diferentes do DNA dos Romanov. Havia pouca dúvida de que Anna Anderson não podia ter sido Anastácia.

Naturalmente, Schweitzer e a esposa ficaram muito decepcionados, porque sempre acreditaram que o DNA provaria que Anna era sincera. Embora não questionasse os cientistas ou seu trabalho, Schweitzer teve dificuldades para aceitar os resultados. O jeito de Anna — sua personalidade, seu comportamento, tudo nela — lhe indicara que ela era quem dizia ser. Para ele, era possível que a análise tivesse usado uma amostra de tecido de biópsia errada. Não era de Anna, pensou ele, mas de outra pessoa, e é claro que, nesse caso, o DNA não combinaria com o dos Romanov. Embora essa fosse uma possibilidade remota, a maioria dos cientistas não acreditava que fosse verdade, e admitiram que os resultados do trabalho com DNA provaram que Anna Anderson não era Anastácia.

Então, quem era Anna Anderson?

Se Anna Anderson não era Anastácia, então quem era? Como foi encontrada ensopada em um rio de Berlim? E por que ela nunca revelou sua verdadeira identidade?

Alguns daqueles que não acreditavam que Anna era Anastácia afirmaram que ela era Franziska Schanzkowska, operária de fábrica e camponesa que se perdera em Berlim em 1920. Franziska nasceu no norte da Alemanha em 1896, perto da Polônia, uma região chamada de Pomerânia. Enquanto trabalhava em uma fábrica de munição em Berlim na Primeira Guerra Mundial, foi ferida por uma terrível explosão. Um de seus colegas de trabalho morreu na explosão, o que deixou Franziska extremamente transtornada e deprimida. Quem sabe numa tentativa de esquecer a experiência traumática, ela tenha desaparecido.

Os irmãos de Franziska foram chamados repetidamente para conhecer Anna e dizer se ela era sua irmã havia muito desaparecida. O irmão de Franziska, Felix, sempre foi ambíguo com relação ao que pensava da hipótese de Anna ser sua irmã, enquanto a irmã Gertrude disse ter reconhecido Anna como sua irmã, mas se recusava a assinar um atestado para esse fim. A possibilidade de que Anna fosse Franziska nunca foi descartada, mas tampouco pôde ser provada.

Depois que se descobriu que o DNA de Anna não combinava com o da família Romanov, Gill e seus colegas decidiram trabalhar um pouco mais para determinar se Anna era de fato Franziska.

Os cientistas compararam o DNA de Anna com uma amostra doada por Carl Maucher, sobrinho-neto de Franziska Schanzkowska. O DNA combinava tão bem que Gill e sua equipe concluíram que era muito provável que Anna Anderson e Franziska Schanzkowska fossem a mesma pessoa.

Será que Franziska, uma operária de fábrica com uma misteriosa semelhança com a filha mais nova da família imperial russa, planejara o tempo todo assumir a identidade de Anastácia? Mais precisamente, será que acreditava nisso? De acordo com John Klier, autor de um excelente livro que descreve o mistério de Anastácia: sim, parece que sim.

Anna Anderson não foi a única pessoa a afirmar ser Anastácia ou uma de suas irmãs, embora tenha sido a mais famosa das pretensas Anastácias. Na realidade, o trabalho com DNA na família imperial russa não impediu que outras pretensas Anastácias tentassem reclamar a suposta fortuna do tsar. Enquanto escrevo este capítulo, foi publicado um artigo anunciando que uma georgiana de cem anos afirma ser Anastácia e está prestes a entrar com uma ação pedindo a fortuna do tsar. Também houve, e ainda há, muitas alegações de pessoas que dizem ser os outros filhos — Aleksei, Olga, Tatiana — e até seus descendentes.

Embora os corpos de Anastácia e Aleksei não tenham sido encontrados, isso não prova que eles não morreram na mesma época do resto da família: eles podem não ter sido enterrados no mesmo local. Em geral se pensa que, mesmo que não tenha morrido na época, Aleksei não teria sobrevivido por muito tempo, devido à hemofilia. Talvez o verdadeiro destino de Anastácia nunca venha a ser conhecido.

O DNA antigo finalmente resolveu o prolongado enigma de Anna Anderson, oitenta anos depois de ela aparecer afirmando ser Anastácia. Será que outros mistérios de identidade poderiam ser resolvidos de forma semelhante? Em muitos casos mais antigos, provavelmente não, já que deve haver uma amostra de tecido do indivíduo misterioso para que o DNA seja extraído. Também deve haver um parente vivo da pessoa que eles acreditam ser, para que as duas fontes de DNA possam ser comparadas. Em geral, não se encontra uma ou outra dessas condições, o que significa que alguns mistérios talvez nunca sejam resolvidos.

A solução de um mistério do Titanic

Há um mistério de identidade, porém, em que o DNA antigo teve um papel essencial.

Em 15 de abril de 1912, o navio de passageiros *Titanic* começou sua primeira viagem de Southamptom para Nova York.

Em uma série lendária de acontecimentos, o barco se chocou com um *iceberg* a cerca de 1.100 quilômetros da costa canadense pouco antes da meia-noite, e afundou às 2:20 da manhã.

O navio *Carpathia*, que estava a 47 milhas náuticas de distância, chegou à cena três horas e meia depois, salvando 712 pessoas e levando-as com segurança a Nova York. Os 1.496 passageiros restantes não tiveram tanta sorte.

Nos dias que se seguiram, de Halifax, na Nova Escócia, partiu um terrível apelo por barcos para resgatar os corpos. Equipados com esquifes, gelo, fluido de embalsamar e agentes funerários, foram despachados quatro barcos: o *Mackay-Bennett*, o *Minia*, o *Montmagny* e o *Algerine*. Tão numerosos eram os mortos que as tripulações não suportaram e vários corpos foram sepultados no mar. Outros foram levados para Halifax para o enterro e possível identificação.

Uma criança pequena foi resgatada seis dias depois do desastre pela tripulação do *Mackay-Bennett*. A tripulação pensou que o menino devia ter uns 2 anos e, quando o viram, os marinheiros foram às lágrimas. Eles decidiram assumir a responsabilidade por seu sepultamento se o corpo não fosse reclamado.

O menino não foi identificado, então foi enterrado pela tripulação do navio de salvamento no Cemitério Fairview Lawn de Halifax entre outras 150 vítimas do desastre. Sua lápide trazia a simples inscrição: "Erigida à Memória de uma Criança Desconhecida".

Nas décadas que se seguiram, muitas conjecturas sobre a identidade do menino foram feitas. A teoria mais forte —

defendida pelo legista da época do desastre e por muitos desde então — afirmava que a criança era Gösta Leonard Pålsson, de 2 anos, da Suécia. Mas isso não pôde ser provado e, como havia várias crianças pequenas no navio, havia também outras possibilidades para sua identidade.

Por 86 anos a identidade da criança foi um mistério, até que, no final do verão de 1998, o especialista em DNA, Ryan Parr, da Genesis Genomics Inc. e da Universidade Lakehead, em Ontário, e o co-pesquisador Alan Ruffman, da Geomarine Associates em Halifax, obtiveram permissão para exumar os restos mortais da criança e de duas outras do cemitério cujas identidades também eram desconhecidas. Seu objetivo era tentar resolver o quebra-cabeça extraindo o DNA das vítimas e comparando com o DNA de famílias que perderam parentes no desastre do *Titanic*.

Em 18 de maio de 2001, o túmulo da criança foi aberto e logo ficou evidente que a análise de DNA não seria fácil. O solo era ligeiramente ácido e úmido, e os restos da criança praticamente tinham desaparecido. Os pesquisadores conseguiram retirar um pequeno fragmento de seis gramas de osso e três dentes do menino, mas os outros dois corpos tinham se decomposto completamente, sem esperança de identificação.

Liderado por uma equipe do Laboratório de Paleo-DNA da Universidade Lakehead, os pesquisadores começaram a difícil tarefa de extrair o DNA dos ossos. As condições ruins dos restos mortais complicaram o trabalho, mas depois de algum esforço eles conseguiram obter seqüências de DNA do menino, e os resultados foram reproduzidos em laboratórios independentes — o que lhes deu confiança de que as seqüências de DNA eram autênticas. Os pesquisadores compararam o DNA da criança com o de um parente materno da família Pålsson — e não combinava. A criança não podia ser Gösta Leonard Pålsson, afinal.

A pesquisa prosseguiu com vistas a revelar a identidade do menino. Toda uma análise dos dentes mostrou que a criança era muito nova, provavelmente com menos de 1 ano. A lista de passageiros do *Titanic* apresentava cinco meninos com essa idade, além de Gösta Leonard Pålsson. A criança desconhecida poderia ser uma delas?

Devido ao eterno potencial de contaminação, para ter certeza absoluta de que tinham as seqüências corretas de DNA da criança, a equipe extraiu DNA de seus dentes e repetiu a análise de DNA dos ossos. Foi realizado um trabalho genealógico extenso para localizar parentes de todas as outras crianças candidatas a fim de obter amostras de DNA. As famílias envolvidas foram generosas em fornecer as amostras, e os pesquisadores conseguiram o DNA de que precisavam.

O DNA da criança desconhecida foi comparado com o de todas as famílias candidatas, e por fim a resposta ao mistério foi revelada. O DNA combinava perfeitamente com o de Magda Schiefer, da Finlândia, a sobrinha-neta da mãe do menino de 13 meses, Eino Viljami Panula. Eino, de Ylihärmä, na Finlândia, tinha viajado na terceira classe do *Titanic* com a mãe e quatro irmãos para se unir ao pai na Pensilvânia. Nenhum deles sobreviveu à viagem. "A criança desconhecida agora era conhecida, foi identificada e devolvida à família", afirmou Parr.

Um mistério mais antigo de identificação em que a análise de DNA foi extremamente útil envolve a identidade de outra criança. Luís XVI da França e sua esposa Maria Antonieta foram executados nos eventos sangrentos da Revolução Francesa, e seu filho, Louis-Charles, foi registrado como morto na prisão logo depois. Anos depois, um homem chamado Carl Naundorff afirmava ser ninguém menos do que Louis-Charles. Não se podia provar que ele falava a verdade — até agora.

7

O CERNE DA QUESTÃO
O que foi feito de Luís XVII, da França?

"Tudo aqui é tão feio", queixou-se Louis-Charles à mãe enquanto olhava as cercanias. O novo lar foi um verdadeiro choque para o príncipe de 4 anos, que, como herdeiro do trono francês, passara toda sua jovem vida envolto em luxo. O palácio dilapidado e sem uso das Tulherias não era habitado por uma família real havia gerações, mas Louis-Charles, como os pais, tinha poucas alternativas. Era 1789 em Paris, e a Revolução Francesa estava começando.

Louis-Charles nasceu, em 27 de março de 1785, no suntuoso palácio de Versalhes, lar do rei Luís XVI da França e da esposa, Maria Antonieta. Era o segundo filho homem do rei e da rainha, e o terceiro dos filhos. Louis-Charles, como o pai, descendia de uma longa linhagem de monarcas franceses, os Bourbon, que governavam a França havia séculos.

Quando Louis-Charles nasceu, a família real desfrutava uma existência privilegiada, cercada de cortesãos e criados. Eles acreditavam ter o leal apoio do povo francês — afinal, Luís XVI tinha sido aclamado com entusiasmo por seus súditos quando ascendeu ao trono na juventude. Tudo indicava que a família real levava uma vida tranqüila e segura. Mas, por sob a superfície, fermentava uma bomba-relógio de insatisfação no seio do povo francês, e nada era como parecia.

O país estava, na verdade, em péssima situação, tanto financeira como socialmente. O aumento da população nos últimos anos gerara preços mais altos dos grãos, salários mais baixos e padrões de vida reduzidos. As safras foram decepcionantemente magras, o que elevou ainda mais o preço do pão, principal alimento da nação. Para piorar, a guerra dos anos anteriores deixara o Estado com uma dívida considerável. Os problemas eram piores entre os menos favorecidos, e centenas de milhares de pessoas comuns estavam desesperadamente pobres e famintas.

O rei Luís XVI, de acordo com todas as descrições, era um homem de bom coração e agradável, com a melhor das intenções para sua família e seu país. Mas seu estilo de vida privilegiado o impedia de entender plenamente a difícil situação da média dos cidadãos. A pobreza era algo além de sua capacidade de compreensão, e assim, apesar de algumas tentativas genuínas, ele não conseguiu encontrar meios de atenuar o sofrimento do povo de nenhuma forma significativa. Em busca de um bode expiatório, o povo começou a responsabilizar as extravagâncias da corte pela sua situação econômica miserável, e o ressentimento com a família real ficava mais forte a cada dia.

A situação chegou ao limite em 1789, quando Louis-Charles tinha apenas 4 anos. Em 14 de julho, uma multidão furiosa irrompeu na Bastilha, em Paris, a notória prisão que havia muito era um símbolo do poder real. Os prisioneiros foram libertados e o próprio prédio, destruído.

A rebelião continuou pelos meses seguintes, até que uma noite uma turba feroz e sedenta de sangue, portando as cabeças decepadas de soldados leais da Guarda Real, chegou à soleira da porta da família real em Versalhes. O rei e sua família não tiveram escolha a não ser deixar sua casa e se retirar para o palácio sem uso e em ruínas das Tulherias, em Paris.

Os tumultos continuaram do lado de fora dos portões das Tulherias, e a família real temia por sua vida. Desesperados, eles fizeram planos para fugir do país. Na calada da noite, as crianças foram acordadas e acomodadas numa carruagem. Disfarçados de viajantes comuns, a família fugiu com a maior rapidez que pôde pela noite, rumo à fronteira com a Alemanha.

Mantiveram uma velocidade vertiginosa até o amanhecer, quando seus cavalos quase desmaiaram de exaustão e eles foram obrigados e parar. Por azar, pouco tempo depois foram reconhecidos. O rei e sua família foram obrigados a voltar a Paris para enfrentar as multidões que os esperavam.

Longe de ser a libertação que esperavam, essa frustrada tentativa de liberdade só piorou as coisas. Havia muitos boatos de que a família tinha tentado arregimentar a ajuda de exércitos estrangeiros para atacar o próprio país. A turba ficou mais sedenta de sangue do que nunca. Luís XVI estava sendo empurrado ainda mais fundo numa revolução sobre a qual não tinha controle.

Fora um ano terrível para a família real, em que foram reduzidos de monarcas absolutos que levavam uma vida de riqueza e privilégio a quase prisioneiros num palácio em ruínas. Para piorar as coisas, a família também sofria uma tragédia pessoal. No mesmo ano, o filho mais velho da rainha e do rei, o herdeiro ao trono, morreu depois de uma batalha longa e dolorosa com a tuberculose. Louis-Charles, de 4 anos, o novo herdeiro, de repente foi atirado nos refletores em uma das épocas mais revolucionárias da história do país.

Os três anos seguintes se passaram em uma espécie de paz intranqüila para a família real. Louis-Charles recebeu um preceptor e a família tentou continuar a viver com a maior normalidade possível, demasiado ciente de que agora não tinha poder verdadeiro e nenhum apoio.

Mas, fora do palácio, a insatisfação ainda crescia. Tumultos ocorriam periodicamente, e o sentimento antimonarquista ficava cada vez mais forte. Por fim, numa drástica insurreição, em agosto de 1792, o palácio das Tulherias foi incendiado e a família real, obrigada a buscar refúgio na Assembléia Nacional.

Luís XVI e sua família foram levados à torre do Temple de Paris, um prédio ermo e imponente que antes fora uma fortaleza medieval e que agora se tornava sua prisão. Vigiados por 25 guardas, sua correspondência era interceptada e eles não recebiam roupas nem artigos de primeira necessidade o suficiente. Todos os criados, exceto dois, foram mandados embora.

Passado o choque inicial, os prisioneiros reais voltaram a se acomodar a uma espécie de rotina diária. Eles tomavam o café-da-manhã juntos, e toda manhã, às dez, o rei dava aulas ao filho, sempre observado por guardas. Mas só eram permitidos alguns temas, e não matemática, para o caso de um código secreto estar contido nos números. Louis-Charles tinha permissão para brincar no jardim em alguns dias, mas nem sempre.

Mas essa existência relativamente pacífica não durou muito. Fora do Temple, o ressentimento com o rei ainda aumentava. Ignorando completamente suas súplicas desesperadas para que não tomassem providências, monarcas estrangeiros mandaram exércitos para invadir a França. Naturalmente, o povo culpou o rei. Ele foi obrigado a renunciar a seu título real, e a vigilância à família ficou mais rigorosa.

Com o passar do tempo, a situação piorou. Os revolucionários buscavam uma desculpa para levar o rei a julgamento havia algum tempo, e a descoberta de documentos que ele tinha escondido em uma câmara secreta foi a desculpa de que precisavam. Luís foi separado à força da família e julgado perante a Assembléia Nacional.

Diante do peso de uma montanha de "provas" contra ele, na maioria forjadas, o rei deve ter entendido o que aconteceria a seguir. No Natal daquele ano ele fez seu testamento, perdoando todos os que o prejudicaram.

Inevitavelmente, ele foi sentenciado à morte. O rei Luís XVI, que até alguns anos antes era um monarca absoluto, livre para governar o país como achasse adequado, foi executado na guilhotina em 21 de janeiro de 1793.

Sua sentença de morte foi decidida por apenas um voto, com 361 a favor para 360 votos contrários. O voto decisivo foi dado por seu primo, o duque de Orleans. Sua própria família o havia traído.

O irmão de Luís, o conde da Provença, imediatamente proclamou Louis-Charles, com apenas 8 anos, o rei Luís XVII. O conde da Provença depois se nomeou regente da França até que Louis-Charles chegasse à maioridade, e nomeou o irmão mais novo, o conde d'Artois, vice-general. Inglaterra, Rússia e os Estados Unidos, junto com os poucos monarquistas que restavam na França, apoiaram o jovem Louis-Charles como rei e incrementaram a campanha contra os revolucionários franceses.

Os líderes da revolução começaram a ficar muito nervosos. As ameaças impostas pelos exércitos estrangeiros que avançavam e as declarações do conde da Provença ganharam nova força com a descoberta de uma profecia, supostamente do pai de Nostradamus, indicando que o poder seria restaurado pela família real. O resultado foi que Louis-Charles, agora visto como ameaça, foi arrancado dos braços da mãe e entregue a Antoine Simon e à esposa Marie, ambos fervorosos revolucionários.

Essa guinada traumática dos acontecimentos marcou o início de outro capítulo trágico na triste vida de Louis-Charles. Em poucos anos ele viu o irmão morrer e o pai ser decapitado, e agora era afastado da mãe e da irmã para ficar trancado em um quartinho. E as coisas não iam melhorar para o jovem rei.

A partir desse ponto, Louis-Charles não teve permissão de ver sua irmã nem nenhum dos amigos ou familiares. Foi também afastado dos olhos do povo, então o que aconteceu com ele nessa época é de certo modo um mistério. Sabe-se que a idéia por trás de seu confinamento era "reeducá-lo", mantê-lo separado dos monarquistas e de sua família e manipulá-lo a seguir a linha de raciocínio dos revolucionários. Ele foi obrigado a usar roupas de revolucionários, cantar canções revolucionárias e denunciar sua família. Houve boatos de que Simon pode ter maltratado Louis-Charles e, embora isso nunca fosse provado, deve ter sido uma vida infeliz para o rapaz.

Em 1º de agosto de 1793, sua mãe, Maria Antonieta, também foi levada a julgamento. As provas contra ela eram quase certamente forjadas — até os próprios filhos foram obrigados a assinar as acusações. O julgamento terminou, inevitavelmente, com sua execução.

Louis-Charles continuou preso no Temple por vários anos, separado de todos e de tudo, com uma sucessão de guardas vigilantes incumbidos de cuidar dele. Suas condições de vida se tornaram piores quando ele ficou trancado em um quartinho sem nenhuma luz, pouca comida e sem instalações sanitárias. Ali ele continuou, dia após dia, ficando mais fraco e mais desesperado. A irmã apelou a seus captores para ter permissão de cuidar do irmão ela mesma, mas seus apelos caíram em ouvidos moucos.

No início de 1795, ficou evidente que Louis-Charles estava gravemente doente. Um médico foi chamado para examinar o rapaz, e seu quarto foi enfim limpo, mas era tarde demais. Em 8 de junho de 1795, aos 10 anos, Louis-Charles, o rei não coroado da França, morreu. Tinha sucumbido à tuberculose, sem dúvida como resultado das condições de vida apavorantes.

Realizou-se uma autópsia no dia seguinte. Durante o procedimento, o dr. Phillippe-Jean Pelletan retirou o coração da criança morta como uma lembrança grotesca, embolsou-o e o levou para casa, onde o conservou em álcool destilado de uva. Seus atos, embora macabros, não eram inteiramente incomuns, já que na época era costume colecionar partes do corpo de pessoas famosas como suvenires. Ele não sabia o quanto seu ato se mostraria afortunado.

A morte de Louis-Charles foi anunciada e ele foi enterrado em uma cova coletiva no cemitério de Sainte-Marguerite. A vida da criança terminara — mas o mistério de Luís XVII estava apenas começando.

Quase imediatamente, começou-se a cochichar que Louis-Charles não estava morto — que o príncipe tinha sido trocado em algum momento por outra criança, que morrera no lugar dele. O verdadeiro Luís XVII estava escondido em algum lugar, mais provavelmente longe da França. Não havia prova alguma de que a criança que morrera era o autêntico Louis-Charles. Ele ficara escondido, trancado no Temple por algum tempo e, embora tivesse permissão para receber algumas visitas pouco antes de sua morte, ninguém podia garantir que, àquela altura, já não tinha sido trocado por outra criança.

Nem os guardas que o vigiavam podiam confirmar ou negar se a criança que morreu era o verdadeiro Luís XVII. Nem

Pelletan, o médico que fez a autópsia, estava certo de que o corpo que examinara era do verdadeiro Louis-Charles. Para aumentar o mistério, ninguém que o conheceu mais novo, nem mesmo a irmã, teve permissão para identificar o corpo.

Para colocar mais lenha na fogueira dos boatos, em 1811, uma mulher de 78 anos afirmava ser Marie Simon, a esposa de Antoine Simon, primeiro guarda de Louis-Charles quando ele foi separado dos pais no Temple. Agora encarcerada no curiosamente batizado Hospital dos Incuráveis, Madame Simon contou que Louis-Charles foi retirado clandestinamente do Temple num cesto de roupa suja e outra criança, posta em seu lugar. Louis-Charles ainda estava vivo, jurou. Na verdade, disse ela, ele a visitara no hospital uns onze anos antes. Marie Simon nunca teve permissão para fazer suas afirmações em uma tribuna aberta. Sua história nunca foi verificada — mas, apesar disso, fortaleceu os boatos.

Depois da restauração da monarquia no início da década de 1800, o rei Luís XVIII decidiu resolver o mistério de uma vez por todas. Ordenou uma busca pelos restos mortais de Luís XVI, Maria Antonieta e Louis-Charles. Mas os restos de Louis-Charles não foram encontrados em lugar nenhum.

Será que os defensores da família real retiraram furtivamente Louis-Charles do Temple e o substituíram por outra criança? Louis-Charles ainda estaria vivo? Na ausência de alguma prova convincente para qualquer uma das hipóteses, as pessoas ficaram livres para acreditar no que quisessem. E elas acreditaram. Anos e décadas se passaram, e ainda assim os boatos não esmoreciam. Mas, se Luís XVII ainda estava vivo, onde estaria?

Karl Wilhelm Naundorff seria Luís XVII?

Num dia da primavera de 1833, um viajante desmazelado chegou a Paris. Tinha vindo da Alemanha, onde morara nos últimos anos. Seu passaporte estava em nome de Karl Wilhelm Naundorff, relojoeiro. Mas esse não era nenhum itinerante sem sorte e comum com pouco domínio do francês. Karl Naundorff tinha um segredo que estava pronto a dividir. Ele queria que o mundo todo soubesse que seu verdadeiro nome era Louis-Charles, o rei Luís XVII da França, e estava decidido a provar isso.

Nos 35 anos desde que a morte de Louis-Charles fora anunciada, vários outros homens afirmaram ser o jovem herdeiro. Todos logo se revelaram os impostores que eram. Não surpreende que a maioria das pessoas de início pensasse que também Naundorff era uma fraude. Mas dessa vez não seria tão fácil desprezar as alegações dele.

Para começar, Naundorff tinha uma impressionante semelhança física com Louis-Charles. Também tinha várias características específicas conhecidas de Louis-Charles, como uma marca de vacinação triangular, um sinal no formato de pombo na coxa, uma cicatriz no lábio superior e dentes proeminentes.

Naundorff também tinha lembranças nítidas da infância de Luís XVII. Ele sabia de detalhes íntimos que só os que estiveram lá na época poderiam saber. Também conseguia descrever em detalhes sua fuga do Temple de Paris.

Essas lembranças, o relato de sua fuga e sua semelhança física com Louis-Charles logo fizeram a maioria das pessoas se convencer de que ele era quem dizia ser. Ainda mais interessante, Naundorff foi reconhecido por alguns que de fato conheceram o verdadeiro Louis-Charles. Logo depois de sua chegada à França, Naundorff teve contato com vários sobreviventes da corte de Luís XVI, inclusive Monsieur de Joly, o último ministro da Justiça, Madame de Rambaud, a governanta do próprio Louis-Charles, e Monsieur e Madame Marco de St.-Hilaire — o camareiro do rei morto e a dama de companhia da tia do rei, Adelaide. Os quatro o reconheceram.

Madame de Rambaud, em particular, foi fácil e completamente convencida. Declarou por escrito que em suas conversas com Naundorff ele tinha "trocado lembranças que seriam provas incontroversas para mim de que o príncipe de fato é quem afirma ser, o órfão do Temple". Marco de St.-Hilaire também fez uma declaração por escrito — ele também estava convencido de que Naundorff dizia a verdade. Monsieur de Joly, embora inicialmente cético, logo foi vencido.

Mas, se Naundorff realmente era Luís XVII, onde estivera nos últimos trinta anos? E como tinha fugido do Temple, onde a vigilância era tão rigorosa? Em resposta às inevitáveis perguntas, Naundorff começou a revelar a história de sua vida.

Para fugir do Temple, explicou Naundorff, ele foi drogado com ópio e carregado num caixão. Na preparação para sua fuga, outra criança parecida com ele foi levada furtivamente para o Temple alguns dias antes, e essa criança morreu e foi enterrada como Luís XVII.

Naundorff fugiu da França, segundo ele, fingindo-se filho de uma suíça. Por muitos anos, ficou vagando pela Europa e periodicamente era preso. Por fim, em 1810, ele se viu em Berlim e estabeleceu-se na Schutzenstrasse como relojoeiro.

Logo depois as autoridades lhe solicitaram o passaporte e, como não pôde mostrar nenhum, ele recebeu o nome de Karl Wilhelm Naundorff, relojoeiro, nascido em Weimar. Usou essa identidade para residir em várias cidades da Prússia, antes de chegar à França, em 1833.

Tratava-se de uma mentira cuidadosamente forjada por um vigarista inteligente, ou seria a inacreditável história real do infeliz herdeiro ao trono francês? Karl Naundorff, agora na meia-idade, podia realmente ser Louis-Charles, há muito perdido?

Naturalmente, os antecedentes de Naundorff logo foram investigados e por certo era verdade que Karl Naundorff foi o nome que lhe deram depois de sua chegada em Berlim. Mas não se encontrou nenhum registro de sua vida antes disso, apesar de repetidas tentativas. Se ele não era Luís XVII, sua verdadeira origem era um completo mistério.

Havia uma pessoa que, em tese, podia ter verificado ou refutado as alegações de Naundorff. A irmã de Louis-Charles, a duquesa d'Angouleme, por fim libertada do Temple e que ainda vivia na época em que Naundorff apareceu.

Naundorff na verdade tentara entrar em contato com ela alguns anos antes, ainda quando morava na Prússia. "Minha mui amada irmã", escreveu, "digo-lhe, estou vivo; sou eu, seu verdadeiro irmão. Peça-me para provar. Ofereço-me a fazer isso." Mas seus apelos caíram em ouvidos moucos, já que a duquesa se recusara terminantemente a responder a essa ou a qualquer das cartas subseqüentes. Embora não houvesse tido permissão para ver a criança morta no Temple, tinha certeza de que o irmão morrera e que Naundorff era uma fraude.

Agora que estava na França, Naundorff renovou suas tentativas de entrar em contato com a duquesa, tanto pessoalmente como por intermédio de seus defensores mais importantes. Madame de Rambaud escreveu à duquesa para "assegurar-lhe da existência de seu ilustre irmão. Meus olhos o viram e eu o reconheci". Mas novamente a duquesa não respondeu. Bremond, o secretário particular de Luís XVI, também escreveu, garantindo-lhe de sua crença na sinceridade de Naundorff: "Como servo de seu ilustre pai, reconheci em Karl Wilhelm Naundorff o órfão do Temple (...)". Mais uma vez, não houve resposta.

Sem conseguir atrair a atenção da duquesa, em 1836 Naundorff entrou com uma ação judicial com o objetivo de ser reconhecido oficialmente como Luís XVII. Malogradas as tentativas informais de aproximação dos parentes de Louis-Charles, ele mandou intimações ao rei Carlos X e à duquesa d'Angouleme, exigindo que comparecessem ao tribunal para atender a seus apelos.

Antes que as intimações pudessem ser entregues, porém, Naundorff foi preso. A coleção de mais de duzentos documentos que pretendia usar para apresentar em sua defesa foi confiscada e ele foi preso sem um mandado.

Apesar dos esforços de seus advogados para que fosse libertado e o julgamento, reativado, Naundorff foi expulso para a Inglaterra. Obviamente ele era visto como uma ameaça pelas autoridades francesas, quer fosse ou não Luís XVII.

Naundorff não teve alternativa a não ser estabelecer-se na Inglaterra, onde continuou sua campanha para ser reconhecido oficialmente como Luís XVII. Ele escreveu um livro de memórias que, previsivelmente, não teve permissão para entrar na França. Em geral, sua vida na Inglaterra foi muito feliz, já que tinha muito apoio e fiéis seguidores ali. Mas não se passou sem incidentes.

Em um entardecer nevoento de 1838, Naundorff sentiu o chamado da natureza e se aventurou aos fundos de seu jardim, onde se localizava o toalete. Alguns segundos depois, os empregados da casa ouviram tiros e gritos. Correram para fora e encontraram Naundorff sangrando no chão.

Felizmente, Naundorff sobreviveu ao ataque homicida, um milagre se considerarmos que seu atacante mirou no peito e a bala só foi desviada pelo braço, que ele erguera para se proteger. O atacante logo foi capturado e identificado como um certo sr. Roussel, cidadão francês. O atentado quase certamente teve motivações políticas.

Esse não foi o único episódio surpreendente durante a estada de Naundorff na Inglaterra. Nas horas vagas, ele gostava do excêntrico passatempo de experimentar bombas, armas e explosivos. Para essa atividade, tinha uma oficina especialmente montada em casa.

Um dia, de volta da cidade, foi para a oficina. Deve ter sido um choque quando, repentinamente, um canto da oficina irrompeu em chamas. O fogo se espalhou rapidamente e logo toda a sala se incendiava.

Naundorff, preso na sala, ficou mais alarmado por seu apuro porque sabia que havia um recipiente de explosivos perto da janela. Não teve alternativa — ele mergulhou nas chamas para pegar os explosivos e atirá-los pela janela. Enquanto pegava a caixa, ela explodiu, queimando gravemente suas mãos e seu rosto. Novamente, foi um ataque com motivações políticas — alguém tinha invadido a oficina na ausência dele e a incendiado.

Apesar desses dramas, Naundorff era muito popular na Inglaterra, onde sempre era chamado de duque da Normandia, o título de Luís XVII. Quando o filho dele nasceu, em 1840, a certidão de nascimento do menino o identificava como "Adalbert, príncipe da França, filho de sua Alteza Real o duque da Normandia". Mas o reconhecimento ainda se esquivava dele na França. Em 1840, Naundorff tentou novamente ser ouvido perante um tribunal francês, mas outra vez foi rejeitado.

Em 1845, Naundorff se mudou para a Holanda, na esperança de vender as armas que inventara ao governo holandês. Ele primeiro as oferecera ao governo francês, que, como era de se esperar, não mostrou interesse. Em princípio o governo holandês ficou desconfiado, mas depois de alguma negociação concordou em comprar seus inventos.

Enfim, ao que parecia, ele teria segurança financeira. Mas sua felicidade teve vida curta, pois ele adoeceu gravemente e morreu em 10 de agosto de 1845. Foi enterrado em Delft, nos Países Baixos. Em uma atitude extraordinária do governo holandês, seu atestado de óbito foi lavrado no nome de Luís XVII, embora as afirmações dele jamais tivessem sido provadas, nem suas verdadeiras origens, estabelecidas.

Naundorff nunca desistiu de sua insistência de que era

Luís XVII, nem para a esposa e os filhos. Em sua lápide foi colocada uma inscrição que se traduz por:

> *Aqui jaz Luís XVII, Charles-Louis, duque da Normandia, rei da França e de Navarra, nascido em Versalhes, em 27 de março de 1785, morto em Delft, em 10 de agosto de 1845.*

A morte de Naundorff não pôs fim ao mistério. Sua família continuou a tentar ser reconhecida como membro da família real e, no domínio público, o mistério de sua identidade ainda era acaloradamente debatido. No século XIX, ainda era um completo enigma o que acontecera com Louis-Charles.

Pelos cem anos seguintes, vários historiadores examinaram de perto os indícios existentes. Cada um chegou a suas próprias conclusões, alguns acreditando que Louis-Charles tinha fugido e Naundorff era quem afirmava ser, outros que Louis-Charles morrera, solitário e abandonado, no Temple. Mas não se conseguiu descobrir nenhuma prova definitiva. Estava claro que novos indícios teriam de vir à luz para que o mistério fosse solucionado.

Certo dia de 1992, mais de duzentos anos depois dos dias sangrentos da Revolução Francesa, o professor Jean-Jacques Cassiman foi procurado em sua sala na Universidade de Leuven, na Bélgica, pelo historiador holandês Hans Petrie. Petrie tinha uma proposta para Cassiman, uma proposta que ele acreditava resolver finalmente o mistério de Naundorff.

A chave para a idéia era uma interessante descoberta que Petrie havia feito algum tempo antes. Ao pesquisar o mistério, Petrie descobriu uma teoria de que Naundorff podia ter morrido de envenenamento por arsênico. Para constatar a veracidade, o caixão de Naundorff fora aberto em 1950 e foram retirados o úmero direito e uma mecha de cabelo para análise. Essa investigação não revelou vestígios de arsênico, mas o osso agora estava guardado nos arquivos do Laboratório Forense da Holanda, em Rijswijk, e a mecha de cabelo, no gabinete do prefeito de Delft.

Petrie se perguntou se os restos mortais ainda podiam ter traços do DNA de Naundorff e, em caso afirmativo, se poderiam ser comparados com o DNA de parentes conhecidos de Louis-Charles. Se o DNA combinasse, essa seria a prova definitiva de que as afirmações de Naundorff eram verdadeiras. Se o DNA não combinasse, Naundorff se revelaria um impostor.

Eram necessários especialistas para realizar o trabalho com o DNA, e Cassiman e sua equipe de pesquisa eram a opção perfeita. Eles tinham muita experiência no uso de DNA para resolver problemas de paternidade, e também se envolveram na extração de DNA de ossos antigos descobertos por arqueólogos em sítios na Turquia.

Cassiman não hesitou em admitir que seu interesse no caso era meramente científico. Seria possível extrair DNA dos restos de Naundorff e, se assim fosse, seria possível provar se Naundorff era quem dizia ser? Mas, quanto à possibilidade de revelar uma das mais intrigantes histórias de mistério da vida real, Cassiman foi franco. "Para a história em si — eu não dei a mínima", disse ele. "Era o desafio — um desafio técnico."

Ele enfrentou um revés no início, quando, apesar de 62 tentativas meticulosas, o grupo não conseguiu extrair qualquer DNA do cabelo de Naundorff. Tiveram mais sucesso com o úmero e conseguiram extrair uma amostra viável de DNA do osso. Por que tiveram tanta dificuldade para extrair DNA da amostra de cabelo? "É difícil identificar o motivo", disse Cassiman. "Imagino que o modo como [o cabelo] foi armazenado tenha afetado o DNA. Ou o cabelo pode ter sido tratado com um produto que degradou o DNA."

Armado com uma amostra do DNA de Naundorff, a fase seguinte era obter amostras de DNA de parentes próximos de Luís XVII. Esse seria o maior desafio de todo o projeto. Depois de um imenso esforço, nenhuma fonte adequada tinha sido encontrada e a situação estava começando a parecer meio sombria.

E então os pesquisadores fizeram uma descoberta maravilhosa. A mãe de Louis-Charles, Maria Antonieta, era de uma família de 16 irmãos. Sua mãe, Maria Teresa, tinha mantido uma corrente de contas de rosário com 16 medalhões de ouro, cada um com a mecha do cabelo de um filho.

A irmã mais velha de Maria Antonieta, Maria Ana, herdara o rosário quando a mãe morreu. Maria Ana passou os últimos anos de vida em um convento, em Klagenfurt, na Áustria, e seus pertences, inclusive o rosário, ficaram para a ordem monástica.

O cabelo no rosário era evidentemente da mãe, dos tios e tias de Louis-Charles, e portanto uma possível fonte perfeita de DNA para comparação com o DNA de Naundorff. Era a reviravolta que os pesquisadores procuravam. Devido ao valor histórico do rosário, a equipe de Cassiman conseguiu permissão para usar amostras de cabelo de apenas dois dos medalhões: os das tias de Louis-Charles, Joana Gabriela e Maria Josefa. Os medalhões foram abertos com cuidado e alguns fios de cabelo, retirados.

Mais ou menos na mesma época, a equipe conseguiu entrar em contato com dois parentes vivos de Louis-Charles. A rainha Ana, da Romênia, e o irmão, André de Bourbon Parme, concordaram ambos em fornecer amostras. Por fim, em um golpe de sorte, a equipe conseguiu localizar duas amostras de cabelo da própria Maria Antonieta.

De volta ao laboratório, os pesquisadores extraíram meticulosamente o DNA de todas as amostras. Chegara a hora da verdade. O DNA de Naundorff combinaria com o dos parentes de Louis-Charles? Com o maior cuidado, Cassiman e sua equipe compararam os conjuntos de DNA — e descobriram que o DNA de Naundorff era completamente diferente.

Só havia uma conclusão lógica a tirar — Naundorff não podia ser o filho de Maria Antonieta e, portanto, não podia ser Louis-Charles. Karl Wilhelm Naundorff, o relojoeiro que convencera tantos de que era filho da realeza, era um impostor.

Se Naundorff não era Louis-Charles, o que aconteceu ao rei menino? Teria Louis-Charles morrido no Temple de Paris? Ou foi substituído por outra pessoa? Poderia o DNA que revelou o segredo de Naundorff lançar uma luz também sobre essa parte do mistério?

Cassiman sabia que, se pudesse localizar o DNA autêntico do menino morto, ele poderia ser comparado com o dos parentes de Louis-Charles. Se combinasse, fora Louis-Charles que morrera. Se não, um substituto tinha tomado seu lugar.

Os pesquisadores sabiam que o coração do menino morto fora retirado e levado pelo cirurgião que realizou a autópsia. Se o coração ainda existisse, o DNA nele contido podia resolver o mistério.

Localizar o coração, porém, não foi uma questão fácil. "Sabíamos que o coração estava em algum lugar, mas não sabíamos onde", disse Cassiman. Felizmente, muitos historiadores também estavam ansiosos para ver a solução do mistério de Luís XVII. Um deles, Philippe Delorme, inesperadamente entrou em contato com Cassiman e lhe disse que tinha descoberto onde o coração era guardado.

Anos depois de fazer a autópsia, Pelletan decidiu que era hora de devolver o coração à família real francesa. Mas, quando foi pegar o coração, percebeu que tinha sido roubado. Felizmente, logo ele lhe foi devolvido por um parente do ladrão — um de seus ex-assistentes o havia surrupiado.

Pelletan ofereceu o coração a Luís XVIII, tio de Louis-Charles. Embora insistisse muito que o rei aceitasse a relíquia, Luís XVIII recusou-se a aceitar. Pelletan então o ofereceu à irmã de Louis-Charles, a duquesa d'Angouleme, que também o recusou.

Nessa época, em 1828, Pelletan tinha 81 anos e estava morrendo. Desesperado, ele finalmente deu o coração a Monsieur de Quelin, o arcebispo de Paris.

O coração ficou escondido no palácio do arcebispado, mas em 1830 o palácio foi saqueado e praticamente tudo o que abrigava foi roubado ou destruído. Miraculosamente, o filho de Pelletan descobriu o coração nos restos do palácio; tinha sido pisoteado e estava coberto de terra, mas permanecia intacto.

O filho de Pelletan colocou a preciosa relíquia em uma urna de cristal, em que ainda é mantido, e o guardou em segurança em sua casa nos cinqüenta anos seguintes. Até sua morte, em 1879, a família tentou novamente devolver o coração à família real, mas esse esforço também não deu em nada. O coração foi entregue a Eduard Dumont, um parente da esposa do filho de Pelletan.

Dumont perguntou aos Bourbon da Espanha se queriam a relíquia. Eles aceitaram e, em 1895, dom Carlos de Bourbon, chefe do ramo espanhol da família Bourbon e sobrinho-neto de Louis-Charles, pôs o coração em uma capela do Château de Frohsdorf, na Áustria, onde ficou pelos cinqüenta anos seguintes.

A capela foi pilhada durante a Segunda Guerra Mundial, e o coração desapareceu mais uma vez. Mas o extraordinário é que novamente escapou de ser destruído, pois duas das netas dos Bourbon o resgataram. Elas o ofereceram ao duque de Bauffremont, diretor do Memorial de Saint-Denis, em Paris, em 1975. Afinal chegava a seu último lugar de descanso.

A catedral de Saint-Denis dispõe de uma cripta, onde são mantidos os restos mortais de muitos membros da realeza francesa. Também abriga várias urnas com órgãos preservados de reis da França, inclusive corações, e o coração do menino que morreu no Temple foi colocado ali.

O duque de Bauffremont tinha a última palavra a respeito de o coração poder ou não ser usado na pesquisa de Cassiman. Ele decidiu permitir que a análise de DNA fosse em frente, esperando que a verdade, finalmente, fosse revelada.

Sob o olhar ávido de uma multidão de espectadores, o coração foi retirado da cripta e realizou-se uma cerimônia de ação de graças. Ele foi levado, ainda em sua urna de cristal, a um laboratório próximo, onde duas amostras foram extraídas e mandadas a dois laboratórios independentes. Um

A urna de cristal contendo o coração do jovem Luís XVII, em exibição na igreja Germain l'Auxerrois, em Paris, pouco antes que o coração fosse finalmente sepultado. Reuters/Picture Media/ Victor Tonelli).

deles era o laboratório de Cassiman, na Bélgica; o outro um laboratório na Alemanha que Cassiman pedira para ajudar na pesquisa.

Os dois laboratórios conseguiram extrair DNA das amostras. Quando comparados com o DNA dos parentes de Luís XVII que foram usados no estudo de Naundorff, o resultado foi uma combinação perfeita. O coração não podia ser outro a não ser o de Luís XVII.

A notícia de que a versão oficial dos acontecimentos era correta e que Luís XVII tinha morrido como prisioneiro no Temple de Paris teve um forte impacto, em especial sobre os descendentes de Naundorff. De início eles ficaram muito animados com a realização da pesquisa, porque acreditavam sinceramente que Naundorff era quem afirmara ser. O resultado os deixou muito menos animados; na verdade, eles se recusaram a acreditar nele.

Outros também foram céticos. "Em toda essa história há dois grupos, os que acreditam e os que não acreditam", disse Cassiman. Embora a maioria estivesse disposta a aceitar os resultados do trabalho com DNA, muitos defensores mais leais de Naundorff ainda se prendem à esperança de que o indício de DNA estivesse errado e que Naundorff tenha sido realmente quem dizia ser. "Eles não vão desistir nunca, isso é certo", explicou Cassiman. "É uma crença. Não é ciência, é uma crença."

Cassiman, porém, admite que há uma possibilidade remota, como no caso de Anna Anderson, de que pudesse ter ocorrido uma confusão e o osso do qual foi extraído DNA não fosse de Naundorff. "Não posso provar isso", disse Cassiman, "a não ser que tenha todos os documentos que provam que esse osso foi levado ao laboratório de onde o pegamos." A autenticidade do coração de Louis-Charles também foi posta em dúvida por aqueles que não acreditam que ele tenha morrido no Temple. Sugeriu-se que era o coração do irmão de Louis-Charles que foi preservado, pois ele morrera alguns anos antes. "É claro que não posso provar que não corresponde ao que fizemos", disse Cassiman, "e é por isso que eu digo que os historiadores são responsáveis pelas provas de que o coração é realmente de Louis-Charles."

"A única coisa que podemos provar", disse ele, "é que se trata do coração de uma criança — isso é definitivo —, e que seu DNA é idêntico ao dos Habsburgo e de sua suposta mãe, Maria Antonieta. Mas só podemos chegar até aí. Os historiadores têm bons argumentos, segundo me contaram, para afirmar que esse é o coração da criança que morreu no Temple. Mas não é algo que eu possa provar." Quando indagado se acreditava pessoalmente que o coração de fato pertencia a Luís XVII, Cassiman admitiu: "Sim, é muito improvável que seja de outra pessoa."

Cassiman não recebeu nenhum comentário oficial do governo francês sobre os resultados. "É muito complicado, porque estamos falando do herdeiro ao trono — o trono francês —, e existem duas facções nessa família, que brigam sem parar, o ramo espanhol e o ramo francês, e... bem, não quero me envolver nisso, nos problemas deles", disse ele com um riso estranho.

O DNA antigo agora tinha resolvido um dos mistérios mais intrigantes da história recente. A curta e trágica vida de Louis-Charles, o jovem rei da França, *terminou* mesmo no Temple de Paris, mais provavelmente como resultado da tuberculose. Karl Naundorff, que conseguiu convencer tantos de que era Luís XVII, revelou-se uma fraude.

Apesar do enorme sucesso da pesquisa, várias perguntas ficaram sem resposta. Quem era Naundorff? De onde veio? Acreditava mesmo ser Luís XVII, ou era só um incrível mentiroso? E quanto a Louis-Charles — ele realmente morreu de tuberculose? Teria morrido por negligência, ou foi assassinado? É possível que as respostas a algumas dessas perguntas jamais venham a ser conhecidas.

Conclusão

O que está por vir na pesquisa de DNA antigo?

O variado campo da pesquisa de DNA antigo teve grandes realizações no intervalo relativamente curto desde seu início até hoje, e possibilidades ainda mais empolgantes estão acenando ao futuro da tecnologia. A pesquisa de DNA antigo é, por sua natureza, um campo inteiramente diversificado, com projetos que envolvem uma ampla variedade de áreas da ciência. As direções que pode tomar nos anos futuros são limitadas apenas pela disponibilidade de amostras adequadas.

Agora se sabe que o DNA pode ser encontrado em uma ampla gama de tecidos antigos, o que significa que há uma profusão de possibilidades para a pesquisa futura. "Ainda estamos surpresos com o que descobrimos", diz Alan Cooper. "Em termos de amostras de tecidos, temos ossos, dentes, tecidos moles, músculos (...) fezes funcionam muito bem — é uma área muito ativa de pesquisa — e cabelos." Em teoria, qualquer amostra biológica com menos de 100 mil anos é candidata em potencial para pesquisa de DNA antigo, se estiver bem conservada.

As possibilidades futuras para o trabalho com DNA antigo, portanto, são quase infinitas.

Doenças infecciosas

Muitos dos campos de investigação discutidos neste livro ainda apresentam ricas oportunidades para pesquisa posterior, sendo um exemplo a história da doença infecciosa. Assim como o trabalho envolvendo a tuberculose nas Américas, a Peste Negra e a gripe de 1918, o DNA antigo foi extraído de uma série de outras bactérias, vírus e parasitas que causaram surtos históricos de doença: a bactéria que causa a lepra, *Mycobacterium leprae*; o parasita que causa a malária, *Plasmodium falciparum*; o parasita que causa a doença de Chagas, *Trypanossoma cruzi*; a bactéria que causa a sífilis, *Treponema pallidum*; a bactéria intestinal *Escherichia coli* (*E. coli*), e a bactéria que causa a difteria, *Corynobacterium diphtheriae*.

O DNA antigo proveniente da maioria dessas doenças foi encontrado em apenas algumas amostras, o que indica ser possível extrair DNA de vários organismos patogênicos que residem no tecido humano antigo. No futuro, pesquisas adicionais nessa área poderão nos dar um quadro detalhado da evolução de várias doenças humanas e de como as comunidades do passado foram afetadas por elas.

Podemos aprender mais sobre as três doenças discutidas neste livro. A tuberculose demonstrou ser uma doença adequada para a análise de DNA antigo, pois a bactéria que a causa fica particularmente bem preservada em tecido antigo. Estudos futuros podem examinar tecidos para saber a freqüência com que a tuberculose ocorreu em diferentes populações humanas no passado e que grau de mortalidade causou.

Também precisamos de mais pesquisa para saber se a Peste Negra foi causada pela peste bubônica, e ainda há mais para sabermos sobre as origens e a letalidade da gripe de 1918.

Animais extintos

O futuro da pesquisa com DNA antigo também envolverá mais investigações com DNA de animais extintos. Ainda existe a possibilidade de que uma espécie extinta, ou mais, possa um dia ser clonada, e essa ainda é uma área pequena de pesquisa, embora ativa. A maior parte da pesquisa com DNA antigo e animais extintos, porém, está concentrada em aprender mais sobre a ecologia das antigas comunidades de animais.

O DNA antigo proveniente de restos mortais de animais enterrados em *permafrost* é um campo de estudo particularmente promissor. Cooper e sua equipe costumam extrair DNA de restos animais enterrados no Alasca e na Sibéria — uma atividade que, brinca Cooper, é fabulosa: "como ameaça aos alunos que não estão trabalhando muito, mandá-los à Sibéria é uma idéia muito boa".

Cooper e sua equipe estão usando o DNA para investigar os efeitos da mudança climática durante a Era Glacial no tamanho, na amplitude e na diversidade genética das populações de animais dessa época. Essa pesquisa pode dar fundamentos para a prevenção aos efeitos do aquecimento global sobre as espécies e populações atuais, mas também está fornecendo mais pistas ao debate sobre o que levou à extinção a megafauna da Era Glacial. Antes de começar o trabalho, Cooper expressava a idéia de que o homem muito provavelmente teve um importante papel na eliminação da megafauna. Agora, acha que foram as condições climáticas da Era Glacial que causaram o verdadeiro dano. Seu trabalho indica que as poucas populações da megafauna que restaram depois do auge da Era Glacial ficaram fragilizadas, o que tornou muito fácil para o homem levá-las à extinção. "Era como se estivessem no corredor da morte", diz Cooper. Se o homem não tivesse chegado, algumas populações fracas de megafauna podiam ter conseguido sobreviver, mas não se tem certeza nenhuma disso.

DNA da terra

Enquanto trabalhavam na Sibéria, Cooper e sua equipe descobriram algo que acreditam poder levar a outra linha empolgante de pesquisa com DNA antigo. Parte de seu trabalho envolveu abrir buracos no *permafrost* para retirar amostras do núcleo. O *permafrost* siberiano tem cerca de 2-3 milhões de anos, e Cooper se perguntou se as amostras podiam conter DNA que restou da multiplicidade de animais, plantas e bactérias que viveram nessa época. "Que diabos", pensou Cooper, "teremos simplesmente de verificar se podemos copiar qualquer DNA de planta e animal."

Cooper conseguiu extrair DNA de mamute, bisão e planta de amostras do núcleo e, com partes mais profundas do solo datando de períodos anteriores, foi possível até ver o DNA mudando — evoluindo — com o passar do tempo. Isso foi verdadeiramente revolucionário, porque sempre se pensou que eram necessários restos físicos — ossos, dentes ou pedaços de pele, por exemplo — para estudar o DNA de animais e plantas antigos. Trata-se agora de saber que outras revelações o *permafrost* pode trazer sobre antigos ecossistemas por meio do DNA neles contido.

Cooper passou a tentar o mesmo método com um pouco de terra que retirou de uma caverna na Nova Zelândia quando extraiu ossos de moa. Para surpresa de todos, essa terra também continha DNA: de moas e de outras aves extintas da Nova Zelândia, bem como de árvores que não estavam mais presentes naquela parte do país. Cooper verificou se tinha extraído DNA autêntico dessas espécies ao combiná-lo com amostras atuais que estava certo serem desses animais e plantas. "Conseguimos um quadro completo [da flora e da fauna] da Nova Zelândia anterior à colonização humana na área." No momento, diz ele, "não sabemos o que podemos fazer com essas coisas, [mas] há todo um registro genético de como era o ambiente". Os resultados sugerem que agora pode ser possível compor quadros mais complexos de ecossistemas antigos, inclusive que espécies viveram em determinadas épocas e em que locais, a partir do DNA contido em camadas de terra sem nenhum vestígio fóssil visível.

O DNA antigo tem um futuro brilhante, com muitas possibilidades animadoras, e o que essa área realizou em alguns anos sem dúvida dará material suficiente para todo um outro livro sobre o assunto. Uma coisa é certa: o futuro do DNA antigo está verdadeiramente no passado.

Fontes

Para escrever este livro, foi necessário atracar-me com uma ampla gama de materiais e temas. Graças a isso, freqüentemente achei necessário contar com fontes secundárias para dar informações, inclusive livros didáticos e de divulgação sobre temas condizentes, junto com vários *websites* relevantes e confiáveis. Dispor dessas excelentes fontes, em geral de leitura muito agradável, tornou uma tarefa que seria impossível muito mais fácil e prazerosa.

Junto com as fontes secundárias, várias fontes primárias de informação foram utilizadas, inclusive artigos publicados em periódicos científicos, e entrevistas e correspondência com pesquisadores atuantes no campo do DNA antigo. Tive a felicidade de comparecer a vários seminários interessantes sobre a pesquisa de DNA antigo, os quais também forneceram informações valiosas.

Ocasionalmente, deparei com informações conflitantes das várias fontes sobre determinado tema. Quando isso aconteceu, empenhei-me em revelar a opinião consensual. É inevitável que ainda existam erros.

Bibliografia

INTRODUÇÃO

Parte das informações básicas sobre o DNA foi extraída dos seguintes livros e *website*:

Anônimo, 2004, "How to extract DNA from anything living", *Genetic Science Learning Center: University of Utah,* <http://gslc.genetics.utah.edu/units/activities/extraction> [26 de julho de 2004]

Ridley, M. 1999, *Genome: The autobiography of a species in 23 Chapters,* Fourth Estate, Londres. [Ed. bras.: *Genoma: A autobriografia de uma espécie em 23 capítulos.* Rio de Janeiro: Record, 2001.]

CAPÍTULO 1

As informações sobre a descoberta dos neandertais, a história da pesquisa com neandertais e o estilo de vida e a cultura neadertais tiveram como fonte vários livros excelentes sobre o assunto:

Brown, M. H. 1990, *The search for Eve,* Harper & Row, Nova York.

Constable, G. 1973, *The emergence of man: The Neanderthals,* Time Life Books.

Lewin, R. 1998, *The origin of modern humans,* Scientific American Library, Nova York.

Shreeve, J. 1995, *The neandertal enigma: Solving the mystery of modern human origins,* Viking, Londres.

Tattersall, I. 1999, *The last neanderthal: The rise, success, and mysterious extinction of our closest human relatives,* Westview Press, Boulder, Colorado.

Trinkaus, E. e Shipman, P. 1993, *The neandertals: Changing the image of mankind,* Alfred A. Knopf, Nova York.

As informações sobre a vida de Charles Darwin foram obtidas da seguinte biografia:

White, M. e Gribbon, J. 1995, *Darwin: a life in science,* Simon & Schuster, Londres.

As informações sobre Eugene Dubois são oriundas do seguinte livro:

Van Oostersee, P. 1999, *Dragon bones: the story of Peking man,* Alien & Unwin, Sydney.

As informações sobre a pesquisa de Cann, Stoneking e Wilson foram obtidas do seguinte livro:

Shreeve, J. 1995, *The neandertal enigma: solving the mystery* of *modern human origins,* Viking, Londres.

Junto com seu artigo acadêmico sobre o tema:

Cann, R. L., Stoneking, M. e Wilson, A. C. 1987, "Mitochondrial DNA and human evolution", *Nature,* vol. 325, pp. 31-6.

As informações sobre a pesquisa com DNA neandertal foram obtidas dos seguintes artigos científicos:

Krings, M. *et al.* 1997, "Neandertal DNA sequences and the origin of modern humans", *Cell,* vol. 90, pp. 19-30.

Krings, M. *et al.* 1999, "DNA sequence of the mitochondrial hypervariable Region II from the Neandertal type specimen", *PNAS,* vol. 96, pp. 5581-5.

Krings, M. *et al.* 2000, "A view of neandertal genetic diversity", *Nature Genetics,* vol. 26, pp. 144-6.

Ovchinnikov, I. V. *et al.* 2000, "Molecular analysis of neanderthal DNA from the northern Caucasus", *Nature,* vol. 404, pp. 490-3.

Ovchinnikov, I. *et al.* 2001, "The isolation and identification of neanderthal mitochondrial DNA", *Profiles in DNA,* janeiro, pp. 7-9.

Além de vários artigos que comentaram a pesquisa com DNA neandertal:

Anônimo, 1997, "In our genes?", *The Economist*, 12 de julho, pp. 77-9.

Hawks, J. e Wolpoff, M. 2001, "Brief communication: Paleoanthropology and the population genetics of ancient genes", *American Journal of Physical Anthropology*, vol. 114, pp. 269-72.

Hoss, M. 2000, "Ancient DNA: Neanderthal population genetics", *Nature*, vol. 404, pp. 453-4.

Kahn, P. e Gibbons, A. 1997, "DNA from an extinct human", *Science*, vol. 277, pp. 176-8.

Relethford, I. H. 2001, "Ancient DNA and the origin of modern humans", *PNAS*, vol. 98, pp. 390-1.

Stringer, C. e Ward, R. 1997, "A molecular handle on the Neanderthals", *Nature*, vol. 388, pp. 225-6.

Wolpoff M. 1998, "Concocting a divisive theory", *Evolutionary Anthropology*, vol. 7, pp. 1-3.

As informações sobre a relação do DNA de neandertal com o DNA de *Homo sapiens* antigo são originárias do seguinte artigo:

Caramelli, D. *et al.* 2003, "Evidence for a genetic discontinuity between neandertals and 24,000 year old anatomically modern humans", *PNAS*, vol. 100, pp. 6593-7.

As informações biográficas sobre Svante Pääbo são originárias do seguinte artigo:

Dickman, S. 1998, "Svante Pääbo: pushing ancient DNA to the limit", *Current Biology*, vol. 8, pp. 329-30.

As citações neste capítulo são originárias das seguintes fontes:

p. 42 "não há a menor possibilidade"

p. 43 "Se de fato querem saber de onde veio o homem moderno..."

de: Shreeve, J. 1995, *The neandertal enigma: solving the mystery of modern human origins*, Viking, London.

p. 47 "uma realização sensacional"
de: Stringer, C. e Ward, R. 1997, "A molecular handle on the neanderthals". *Nature*, vol. 388, pp. 225-6.
p. 47 "um trabalho extremamente importante"
de: Kahn, P. e Gibbons, A. 1997, "DNA from an extinct human", *Science*, vol. 277, pp. 176-8.
p. 48 "Não quero ser estraga-prazeres..."
de: Wolpoff, M. 1998, "Concocting a divisive theory", *Evolutionary Anthropology*, vol. 7, pp. 1-3.

CAPÍTULO 2

As informações sobre o trabalho com DNA de quaga e o projeto de criação do quaga foram obtidas do seguinte *website*:
Anônimo 2001, "The quagga project", *website do Museu da África do Sul*, <www.museums.org.za/sam/quagga> [21 de dezembro de 2002].

Além dos seguintes artigos científicos:
Higuchi, R. *et al.* 1984, "DNA sequences from the quagga, an extinct member of the horse family", *Nature*, vol. 312, pp. 282-4.
Higuchi, R. G. *et al.* 1987, "Mitochondrial DNA of the extinct quagga: relatedness and extent of postmortem change", *Journal of Molecular Evolution*, vol. 25, pp. 283-7.

E o seguinte comentário:
Jeffreys, A. J. 1984, "Raising the dead and buried", *Nature*, vol. 312, p. 198.

As informações sobre extrações bem-sucedidas de DNA antigo de outros animais extintos foram obtidas dos seguintes artigos:
Best, C. H. 1994, "Genetic analysis of ancient DNA from the hair of the woolly rhinoceros *(Coelodonta antiquitatis)*", *Bridges of the science between North America and the Russian far east*, vol. 45, p. 37.

Cooper, A. *et al.* 1992, "Independent origins of New Zealand moas and quivis", *PNAS,* vol. 89, pp. 8741-4.

Cooper, A. 2001, "Complete mitochondrial genome sequences of two extinct moas clarify ratite evolution", *Nature,* vol. 409, pp. 704-7.

Christidis, L., Leeton, P. R. e Westerman, M. 1996, "Were bowerbirds part of the New Zealand fauna?", *PNAS,* vol. 93, pp. 3898-901.

Greenwood, A. *et al.* 1999, "Nuclear DNA sequences from late Pleistocene megafauna", *Molecular Biology and Evolution,* vol. 16, pp. 1466-73.

Greenwood, A. D. *et al.* 2001, "A molecular phylogeny of two extinct sloths", *Molecular Phylogenetics and Evolution,* vol. 18, pp. 94-103.

Hagelberg, E. *et al.* 1994, "DNA from ancient mammoth bones", *Nature,* vol. 370, pp. 333-4.

Hanni, C. *et al.* 1994, "Tracking the origins of the cave bear *(Ursus spelaeus)* by mitochondrial DNA sequencing", *PNAS,* vol. 91, pp. 12336-40.

Hauf, J. *et al.* 1995, "Selective amplification of a mammoth mitochondrial cytochrome B fragment using an elephant specific primer", *Current Genetics,* vol. 27, pp. 486-7.

Hoss, M. e Pääbo, S. 1994, "Mammoth DNA sequences", *Nature,* vol. 370, p. 333.

Hoss, M. *et al.* 1996, "Molecular phylogeny of the extinct ground sloth *Mylodon darwinii*", *PNAS,* vol. 93, pp. 181-5.

Janczewski, D. N. *et al.* 1992, "Molecular phylogenetic inference from saber-toothed cat fossils of Rancho La Brea", *PNAS,* vol. 89, pp. 9769-73.

Johnson, P. H., Olson, C. B. e Goodman, M. 1985, "Isolation and characterization of deoxyribonucleic acid from tissue of the woolly mammoth, *Mammuth us primigenius*", *Comparative Biochemistry and Physiology B,* vol. 81, pp. 1045-51.

King, S. J., Godfrey, L. R. e Simons, E. L. 2001, "Adaptive and phylogenetic significance of ontogenetic sequences in *Archaeolemur,* subfossil lemur from Madagascar", *Journal of Human Evolution,* vol. 41, pp. 545-76.

Lalueza-Fox, C. *et al.* 2000, "Mitochondrial DNA from *Myotragus balearicus,* an extinct bovid from the Balearic Islands", *Journal of Experimental Zoology,* vol. 288, pp. 56-62.

Lorielle, O. *et al.* 2001, "Ancient DNA analysis reveals divergence of the cave bear, *Ursus spelaeus,* and brown bear, *Ursus arctos,* lineages", *Current Biology,* vol. 11, pp. 200-3.

Montagnon, D. *et al.* 2001, "Ancient DNA from *Megaladapis edwarsi* (Maiagasy subfossil): preliminary results using partial cytochrome B sequence", *Folia Primatologica,* vol. 72, pp. 30-2.

Noro, M. *et al.* 1998, "Molecular phylogenetic inference of the woolly mammoth *Mammuthus primigenius,* based on complete sequences of mitochondrial cytochrome B and 1 2S ribosomal RNA genes", *Journal of Molecular Evolution,* vol. 46, pp. 314-26.

Ozawa, T., Hayashi, S. e Mikheison, V. M. 1997, "Phylogenetic position of mammoth and Steller's sea cow within Tethytheria demonstrated by mitochondrial DNA sequences", *Journal of Molecular Evolution,* vol. 44, pp. 406-13.

Robinson, T. J. *et al.* 1996, "Mitochondrial DNA sequences of the extinct blue antelope *Hippotragus leucophaeus*", *Naturwissenschaften,* vol. 83, pp. 178-82.

Sorenson, M. D. *et al.* 1999, "Relationships of the extinct moa-nalos, flightless Hawaiian waterfowl, based on ancient DNA", *Proceedings of the Royal Society of London, Series B, Biological Sciences,* vol. 266, pp. 2187-93.

Taylor, P. G. 1996, "Reproducibility of ancient DNA sequences from extinct Pleistocene fauna", *Molecular Biology and Evolution,* vol. 13, pp. 283-5.

Trewick, S. A. 1996, "Flightlessness and phylogeny amongst endemic rails (Aves: Rallidae) of the New Zealand region", *Philosophical Transactions of the Royal Society of London, Series B, Biological Sciences,* vol. 352, pp. 429-46.

Westerman, M. *et al.* 1999, "Molecular relationships of the extinct pig-footed bandicoot *Chaeropus ecaudatus* (Marsupialia: Perameloidea) using 12S rRNA sequences", *Journal of Mammalian Evolution,* vol. 6, pp. 271-88.

Yang, H., Golenberg, E. M. e Shoshani, J. 1996, "Phylogenetic resolution within the Elephantidae using fossil DNA sequence from the American mastodon *(Mammut americanum)* as an outgroup", *PNAS,* vol. 93, pp. 1190-4.

As informações básicas sobre o tilacino, o trabalho com DNA de tilacino e os esforços atuais para cloná-lo foram obtidas dos seguintes livros, *website* e documentário para televisão:

Anônimo, 2002, "Australia's thylacine", *Australian Museum Online,* <www.austmus.gov.au!thylacine> [4 de outubro de 2002].

"End of extinction: Cloning the Tasmanian tiger", Discovery Channel [19 de janeiro de 2004].

Owen, D. 2003, *Thylacine: the tragic tale of the Tasmanian tiger,* Alien & Unwin, Sydney.

Paddle, R. 2001, *The last Tasmanian tiger: the history and extinction of the thylacine,* Cambridge University Press, Cambridge.

Além dos seguintes artigos científicos:

Krajewski, C. *et al.* 1992, "Phylogenetic relationships of the thylacine (Mammalia, Thylacinidae) using dasyuroid marsupiais-evidence from cytochrome B DNA sequences", *Proceedings of the Royal Society of London, Series B, Biological Sciences,* vol. 250, pp. 19-27.

Krajewski, C., Buckley, L. e Westerrnan, M. 1997, "DNA phylogeny of the marsupial wolf resolved", *Proceedings of the Royal Society of London, Series B, Biological Sciences,* vol. 264, pp. 911-7.

Thomas, R. H. *et al.* 1989, "DNA phylogeny of the extinct marsupial wolf", *Nature,* vol. 340, pp. 465-7.

As informações gerais sobre projetos genoma, inclusive o projeto genoma humano, são originárias do seguinte livro:

Sulston, J. e Ferry, G. 2002, *The common thread: a story of science, politics, ethics and the human genome,* Bantam Press, Londres.

As informações básicas sobre animais da Era Glacial e informações sobre o trabalho de clonagem do mamute foram extraídas dos seguintes livros e *websites*:

Anônimo, 2001, "Will mammoths walk again?", *website do Discovery Channel,* <www.exn.ca/mammoth/Cloning.cfm> [5 de janeiro de 2004].

Anônimo, 2003, "'Live cells' found in frozen mammoth", *website* da Sociedade de Geologia (RU), <www.geolsoc.org.uk/template.cfm?name=mammoth2> [5 de janeiro de 2004].

Cohen, C. 2002, *The fate of the mammoth: fossils, myth and history,* University of Chicago Press, Chicago.

Gasperini, B. 2003, "Mammoth clone: science, or simply fiction?" *website do Discovery Channel,* <disc.discovery.com/convergence/lanofmammoth/dispatches/clonezone.html> [5 de janeiro de 2004].

Hehner, B. e Hallett, M. (ilustrador) 2001, *Ice Age mammoth: will this ancient giant come back to life?,* Scholastic.

Martin, P. S. e Wright, H. E. Jr. 1967, *Pleistocene extinctions: the search for a cause,* Yale University Press, New Haven.

Stone, R. 2001, *Mammoth: the resurrection of an Ice Age giant,* Perseus Publishing, Cambridge, Massachusetts.

Sutcliffe, A. J. 1985, *On the track of Ice Age mammals,* Harvard University Press, Cambridge, Massachusetts.

Ward, P. D. 1997, *The call of distant mammoths: why the Ice Age mammals disappeared,* Copernicus, Nova York.

O seguinte livro também foi utilizado na preparação deste capítulo:

Dawkins, R. 2000, *The blind watchmaker,* Penguin Books, Londres.

CAPÍTULO 3

As informações básicas sobre os dinossauros e a era dos dinossauros neste capítulo tiveram como fonte os seguintes livros:

Cadbury, D. 2000, *The dinosaur hunters: a story of scientific rivalry and the discovery of the prehistoric world*, Fourth Estate, Londres.

Haines, T. 1999, *Walking with dinosaurs: a natural history*, BBC Worldwide Limited, Londres.

As informações sobre a formulação de planos para extrair DNA de dinossauro e o trabalho inicial de Shweitzer são originárias dos seguintes livro e artigo:

DeSalle, R. e Linley, D. 1997, *The science of Jurassic Park and the lost world: or, how to build a dinosaur*, Basic Books, Nova York.

Morell, V. 1993, "Dino DNA: the hunt and the hype", *Science*, vol. 261, pp. 160-2.

As informações sobre a pesquisa com DNA de fósseis de compressão de plantas são originárias dos seguintes artigos científicos:

Golenberg, E. M. *et al.* 1990, "Chloroplast DNA sequence from a Miocene *Magnolia* species", *Nature*, vol. 344, pp. 656-8.

Golenberg, E. M. 1991, "Amplification and analysis of Miocene plant fossil DNA", *Philosophical Transactions of the Royal Society of London, Series B, Biological Sciences*, vol. 333, pp. 419-27.

Golenberg, E. M. 1994, "DNA from plant compression fossils", *in Ancient DNA*, org. B. Herrmann e S. Hummel, Springer Verlag, Nova York, pp. 237-56

Manen, J. F. *et al.* 1995, "Chloroplast DNA sequences from a Miocene diatornite deposit in Ardeche (France)", *C R Acad Sci Paris, Life Sciences*, vol. 318, pp. 971-5.

Soltis, P. S. *et al.* 1992, "An *rbcL* sequence from a Miocene *Taxodium* (bald cypress)", *PNAS*, vol. 89, pp. 449-51.

Além deste artigo de comentário:

Pääbo, S. e Wilson, A. C. 1991, "Miocene DNA sequences — a dream come true?", *Current Biology*, vol. 1, pp. 45-6.

As informações básicas sobre o âmbar são originárias do seguinte artigo:

Langenheim, J. H. 1990, "Plant resins", *American Sci*, vol. 78, pp. 16-24.

Além do seguinte livro, que também comenta o trabalho com DNA de insetos em âmbar e o trabalho com DNA de dinossauro:

DeSalle, R. e Linley, D. 1997, *The science of Jurassic Park and the lost world: or, how to build a dinosaur*, Basic Books, Nova York.

Informações adicionais sobre o trabalho com DNA sobre insetos em âmbar são originárias dos seguintes artigos:

Cano, R. J. *et al.* 1992, "Isolation and partial characterisation of DNA from the bee *Proplebeia dominicana* (Apidae: Hymenoptera) in 25-40 million year old amber", *Med Sci Research*, vol. 20, pp. 249-51.

Cano, R. J. *et al.* 1992, "Enzymatic amplification and nucleotide sequencing of portions of the 1 8S rRNA gene of the bee *Proplebeia dominicana* (Apidae: Hymenoptera) isolated from 25-40 million year old Dominican amber", *Med Sci Research*, vol. 20, pp. 619-22.

DeSalle, R. *et al.* 1992, "DNA sequences from a fossil termite in Oligo-Miocene amber and their phylogenetic implications", *Science*, vol. 257, pp. 1933-6.

As informações sobre a pesquisa com DNA de dinossauro foram obtidas dos seguintes artigos científicos:

An, C. C. *et al.* 1995, "Molecular cloning and sequencing of the 18S rDNA from specialized dinosaur egg fossil found in Xixia Henan, China", *Acta Scientiarum Naturalium Universitatis Pekinensis*, vol. 31, pp. 140-7.

Li, Y. *et al.* 1995, "DNA isolation and sequence analysis of dinosaur DNA from Cretaceous dinosaur egg in Xixia Henan, China", *Acta Scientiarum Naturalium Universitatis Pekinensis,* vol. 31, pp. 148-52.

Woodward, S. R. *et al.* 1994, "DNA sequence from Cretaceous period bone fragments", *Science,* vol. 266, pp. 1229-32.

Zhang, Y. e Fang, X. 1995, "A late Cretaceous dinosaur egg with preserved genetic information from Xixia Basin, Henan, China: structure, mineral-chemical and taphonomical analyses", *Acta Scientiarum Naturalium Universitatis Pekinensis,* vol. 31, pp. 129-39.

Zou, Y. P. *et al.* 1995, "Ancient DNA in late Cretaceous dinosaur egg from Xixia County, Henan Province", *Chinese Science Bulletin,* vol. 40, pp. 856-60.

Além do seguinte comentário:

Gibbons, A. 1994, "Possible dino DNA find is greeted with skepticism", *Science,* vol. 266, p. 1159.

As informações sobre as dúvidas levantadas sobre o trabalho com DNA superantigo foram obtidas dos seguintes artigos:

Hedges, S. B. e Schweitzer, M. H. 1995, "Detecting dinosaur DNA", *Science,* vol. 268, p. 1191.

Sidow, A. *et al.* 1991, "Bacterial DNA in Clarkia fossils", *Philosophical Transactions of the Royal Society of London, Series B, Biological Sciences,* vol. 333, pp. 429-33

Wang, H. 1996, "Re-analysis of DNA sequence data from a dinosaur egg fossil unearthed in Xixia of Henan Province", *Yi Chuan Xue Bao,* vol. 23, pp. 183-9.

Wang, H. L. *et al.* 1997, "Re-analysis of published DNA sequence amplified from Cretaceous dinosaur egg fossil", *Molecular Biology and Evolution,* vol. 14, pp. 589-91.

Woodward, S. R. 1995, "Detecting dinosaur DNA", *Science,* vol. 268, p. 1194.

Yin, Z. *et al.* 1996, "Sequence analysis of the cytochrome B gene fragment in a dinosaur egg", *Yi Chuan Xue Bao,* vol. 23, pp. 190-5.

Young, D. L. *et al.* 1995, "Testing the validity of the cytochrome B sequence from Cretaceous period bone fragments as dinosaur DNA", *Cladistics,* vol. 11, pp. 199-209.

As seguintes conferências e entrevistas de rádio também foram utilizadas como importantes fontes de informação para este capítulo:

Alan Cooper, apresentação conjunta da Royal Society of New Zealand e da Universidade de Victoria, 15 de abril de 2003 [palestra pública].

Kim Hill com o professor Alan Cooper, National Radio, 12 de abril de 2003, Radio New Zealand Ltd, Wellington [transmissão de rádio].

David Lambert, conferência na Universidade de Massey, 2003 [palestra pública].

As informações sobre a possibilidade de "criar" um dinossauro são originárias do seguinte artigo:

Ridley, M. 2000, "Will we clone a dinosaur?", *Time,* vol. 155, pp. 94-5.

As citações neste capítulo vieram das seguintes fontes:

p. 110 "nada parecido com o que vimos antes"

de: Gibbons, A. 1994, "Possible dino DNA find is greeted with skepticism", *Science,* vol. 266, p. 1159.

p. 116 "O jeito de contornar isso..."

p. 117 "Mas há um pequeno problema..."

p. 117 "você conseguiu o bastante..."

de: Kim Hill com o professor Alan Cooper, National Radio, 12 de abril de 2003, Radio New Zealand Ltd, Wellington [transmissão de rádio].

p. 118 "de forma alguma isso significa..."

p. 118 "Nós mesmos somos incrivelmente sujos..."
p. 118 "no suor, na pele..."
p. 119 "Se você puser DNA em água..."
p. 119 "Em condições de *permafrost*..."
de: Alan Cooper, Apresentação conjunta da Royal Society of New Zealand e da Universidade de Victoria, 15 de abril de 2003, [palestra pública].

CAPÍTULO 4

As seguintes entrevistas e palestras, extremamente interessantes e informativas, foram usadas como importantes fontes de informação em todo o capítulo:

Kim Hill com o professor Alan Cooper, National Radio, 12 de abril de 2003, Radio New Zealand Ltd, Wellington [transmissão de rádio].

David Lambert, conferência na Universidade de Massey, 2003 [palestra pública].

As informações sobre a história das descobertas e da pesquisa com o moa são originárias dos seguintes livros:

Wolfe, R. 2003, *Moa: The dramatic story of the discovery of a giant bird*, Penguin Books, Auckland.

Worthy, T. H. e Holdaway, R. N. 2002, *The lost world of the moa: Prehistoric life of New Zealand*, Indiana University Press, Bloomington, Indiana.

As informações sobre o significado de espécie, gênero e família vieram dos seguintes *websites*:

Anônimo, 1998, "What is a genus and what is a species?" *Website da Universidade da Flórida*, <http://aquatl.ifas.ufl.edu/genspe.html> [20 de julho de 2004].

Anônimo, 2004, "family", *Dictionary.com,* <http:/dictionary. reference.com/search?q=farnily&r67> [20 de julho de 2004].

As informações sobre a pesquisa da origem e do relacionamento do moa e o quivi são originárias dos seguintes artigos:

Cooper, A. *et al.* 1992, "Independent origins of New Zealand moas and quivis", *PNAS,* vol. 89, pp. 8741-4.

Cooper, A. *et al.* 1993, "Evolution of the moa and their effect on the New Zealand flora", *TREE,* vol. 8, pp. 433-7.

Cooper, A. *et al.* 2001, "Complete mitochondrial genome sequences of two extinct moas clarify ratite evolution", *Nature,* vol. 409, pp. 704-7.

As informações sobre a pesquisa do número de espécies de moa são originárias dos seguintes artigos:

Bunce M. *et al.* 2003, "Extreme reversed sexual size dimorphism in the extinct New Zealand moa *Dinornis*", *Nature,* vol. 425, pp. 172-5.

Huynen, L., Millar, C. D. e Lambert, D. M. 2002, "A DNA test to sex ratite birds", *Molecular Ecology,* vol. 11, pp. 851-6.

Huynen, L. *et al.* 2003, "Nuclear DNA sequences detect species limits in ancient moa", *Nature,* vol. 425, pp. 175-8.

Além de correspondência por *e-mail* com David Lambert [23 de setembro de 2004].

As citações neste capítulo são originárias das seguintes fontes:

p. 136 "espeleólogo radical"

p. 136 "E é evidente que..."

p. 136 "Eles são pés-de-cabra muito bons..."

p. 136 "de repente eu percebi..."

p. 137 "um enigma evolutivo..."

p. 139 "Sabemos que os ratitas podem nadar..."

p. 139 "Tecnicamente, se você olhar as relações..."
de: Kim Hill com o professor Alan Cooper, National Radio, 12 de abril de 2003, Radio New Zealand Ltd, Wellington [transmissão de rádio].
p. 146 "Compreendemos muita coisa..."
p. 147 "Um dos aspectos em que estamos trabalhando..."
p. 147 "Agora imaginamos que podemos estender os genes..."
de: David Lambert, conferência na Universidade de Massey, 2003 [palestra pública].

CAPÍTULO 5

As informações sobre a definição de epidemia e pandemia são originárias dos seguintes websites:

Anônimo, sem data, "pandemic", *Webster's Online Dictionary*, <http://www.webster-dictionary.org/definition/pandemic> [21 de julho de 2004].
Anônimo, sem data, "epidemic", *Webster's Online Dictionary*, http://www.webster-dictionary.org/definition/epidemic [21 de julho de 2004].

As informações sobre a história da Peste Negra são originárias dos seguintes livros:

Naphy, W. e Spicer, A. 2001, *The Black Death: a history of plagues 1345-1730*, Tempus Publishing, Stroud, Gloucestershire.
Ziegler, P. 1997, *The Black Death*, Sutton Publishing, Gloucestershire.

Além do seguinte artigo, que também deu informações sobre o trabalho de Scott e Duncan e o trabalho de Raoult:

Anônimo, 2001, "Ring a ring o'roses", *New Scientist*, 24 de novembro, pp. 35-7.

As informações sobre a pesquisa de Raoult também foram obtidas nos seguintes artigos:

Drancourt, M. G. *et al.* 1998, "Detection of 400-year-old *Yersinia pestis* DNA in human dental pulp: An approach to the diagnosis of ancient septicaemia" *PNAS,* vol. 95, pp. 12637-40.

Drancourt, M. e Raoult, D. 2002, "Molecular insights into the history of plague", *Microbes and Infection,* vol. 4, pp. 105-9.

Raoult, D. *et al.* 2000, "Molecular identification by 'suicide PCR' of *Yersinia pestis* as the agent of medieval Black Death", *PNAS,* vol. 97, pp. 12800-3.

E o seguinte artigo de comentário:

Wasson, K. e O'Neill, M. D. 2003, "Suicide PCR identifies *Yersinia pestis* DNA in Black Death victims", *Applied BioSystems BioBeat Newsletter,* <www.appliedbiosystems.com/biobeat/suicide/> [4 de dezembro de 2003].

As informações sobre o trabalho de Alan Cooper com DNA da peste bubônica são originárias do seguinte *website*:

MacKenzie, D. 2003, "Case reopens on Black Death cause", *website* do Discovery Channel UK, <http://www.discoverychannel.co.uk/newscientist/week02/article03.shtml> [10 de dezembro de 2003].

A maior parte das informaçoes básicas neste capítulo com relação à vida e às viagens de Colombo foram extraídas de uma excelente biografia de Colombo:

Phillips, W. D. Jr. e Phillips, C. R. 1992, *The worlds of Christopher Columbus,* Cambridge University Press, Cambridge.

As informações sobre o trabalho com DNA da tuberculose em múmias pré-colombianas são originárias dos seguintes artigos:

Arriaza, B. T. *et al.* 1995, "Pre-Columbian tuberculosis in northern Chile: Molecular and skeletal evidence", *American Journal of Physical Anthropology,* vol. 98, pp. 37-45.

Braun, M. J., Cook, D. e Pfeiffer, S. 1998, "DNA from *Mycobacterium tuberculosis* complex identified in North American, pre-Columbian human skeletal remains", *Journal of Archaeological Science*, vol. 25, pp. 271-7.

Salo, W. L. *et al.* 1994, "Identification of *Mycobacterium tuberculosis* DNA in a pre-Columbian Peruvian mummy", *PNAS*, vol. 91, pp. 2091-4.

Além dos seguintes artigos de comentário:

Charatan, F. B. 1994, "Peruvian mummy shows that TB preceded Columbus", *BMJ*, vol. 308, p. 808.

Morell, V. 1994, "Mummy settles TB antiquity debate", *Science*, vol. 263, pp. 1686-7.

A maior parte das informações históricas sobre a epidemia de gripe de 1918 e o trabalho de Taubenberger são originárias do seguinte livro, excelente e divertido:

Kolata, G. 1999, *Flu: The story of the great influenza pandemic of 1918 and the search for the virus that caused it*, Pan Books, Londres [Ed. bras.: *Gripe: A história da pandemia de 1918*. Rio de Janeiro: Record, 2002].

Informações adicionais sobre a pesquisa de Taubenberger são originárias dos seguintes artigos:

Basler, C. F. *et al.* 2001, "Sequence of the 1918 pandemic influenza virus nonstructural gene (NS) segment and characterization of the recombinant viruses bearing the 1918 NS genes", *PNAS*, vol. 98, pp. 2746-51.

Reid, A. H. *et al.* 1999, "Origin and evolution of the 1918 'Spanish' influenza virus hemagglutinin gene", *PNAS*, vol. 96, pp. 1651-6.

Reid, A. H. *et al.* 2000, "Characterization of the 1918 'Spanish' influenza virus neuraminidase gene", *PNAS*, vol. 97, pp. 6785-90.

Taubenberger, J. K. *et al.* 1997, "Initial genetic characterization of the 1918 'Spanish' influenza virus", *Science*, vol. 275, pp. 1793-6.

As informações sobre a pesquisa da Universidade Nacional da Austrália são originárias dos seguintes artigos:

Gibbs, M. J., Armstrong, J. S. e Gibbs, A. J. 2001, "Recombination in the hemagglutinin gene of the 1918 'Spanish Flu'", *Science*, vol. 293, pp. 1842-5.

Gibbs, M. J., Armtrong, J. S. e Gibbs, A. J. 2001, "The hemagglutinin gene, but not the neuraminidase gene, of 'Spanish flu' was a recombinant", *Philosophical Transactions of the Royal Society of London, Series B, Biological Sciences*, vol. 356, pp. 1845-55.

Junto com o seguinte artigo de comentário:

Jackson, C. 2001, "ANU stuns world with killer-flu theory", *The Canberra Times*, 8 de setembro, pp. 1-2.

As citações deste capítulo são originárias das seguintes fontes:

p. 162 "Acreditamos que podemos dar um fim à controvérsia..."

de: Anônimo, 2001, "Ring a ring o'roses", *New Scientist*, 24 de novembro, pp. 35-7

p. 163 "Não podemos descartar a hipótese de a *Yersinia pestis* ter sido a causa..."

de: MacKenzie, D. 2003, "Case reopens on Black Death cause", *website* da Discovery Channel UK, <http://www.discoverychannel.co.uk/newscientist/week02/articleo3.shtml> [10 de dezembro de 2003].

p. 172 "Isso nos dá o indício..."

de: SaLo, W. L. *et al.* 1994, "Identification of *Mycobacterium tuberculosis* DNA in a pre-Columbian Peruvian mummy", *PNAS*, vol. 91, pp. 2091-4.

p. 180 "Essa é uma história de detetive..."

p. 184 "exércitos de glóbulos brancos e secreções..."

de: Kolata, G. 1999, *Flu: The story of the great influenza pandemic of 1918 and the search for the virus that caused it,* Pan Books, Londres.

CAPÍTULO 6

A maior parte das informações neste capítulo sobre a Revolução Russa e a vida de Anastácia e Anna Anderson foram extraídas de duas excelentes biografias:

Klier, J. e Mingay, H. 1995, *The quest for Anastasia: solving the mystery of the lost Romanovs,* Smith Gryphon Publishers, Londres

Kuth, P. 1985, *Anastasia: the life of Anna Anderson,* Fontana Paperbacks, Grã-Bretanha.

As informações sobre o trabalho com DNA da família real russa e Anna Anderson também são originárias dos seguintes livros e artigos:

Gill, P. *et al.* 1994, "Identification of the remains of the Romanov family by DNA analysis", *Nature Genetics*, vol. 6, pp. 130-5.

Klier, J. e Mingay, H. 1995, *The quest for Anastasia: solving the mystery of the lost Romanovs,* Smith Gryphon Publishers, Londres.

Ivanov, P. L. *et al.* 1996, "Mitochondrial DNA sequence heteroplasmy in the Grand Duke of Russia Georgij Romanov establishes the authenticity of the remains of Tsar Nicholas II", *Nature Genetics,* vol. 12, pp. 417-21.

Stoneking, M. *et al.* 1995, "Establishing the identity of Anna Anderson Manahan", *Nature Genetics,* vol. 9, pp. 9-10.

Junto com os seguintes artigos de comentário:

Anônimo, 1994, "Anastasia and the tools of justice", *Nature Genetics,* vol. 8, pp. 205-6.

Anônimo, 1996, "Romanovs find closure in DNA", *Nature Genetics,* vol. 12, p. 339.

Schweitzer, R. 1995, "Anastasia and Anna Anderson", *Nature Genetics,* vol. 9, p. 345.

As informações sobre os métodos de teste de paternidade padrão são originárias em parte de um *e-mail* pessoal de Jean-Jacques Cassiman [23 de julho de 2004].

As informações sobre uma pretendente a Anastácia são originárias do seguinte artigo:

Anônimo, 2002, "Century-old Georgian woman claims Russian tsar's fortune", *ABC Online,* <http://abc.net.au/cgi-bin/cornrnon/printfriendly.pl?http://abc.net.au/news/newsiterns/s579335.htm> [12 de junho de 2002].

As informações sobre o trabalho com DNA da "criança desconhecida" do *Titanic* são originárias das seguintes fontes:

Anônimo, 2002, "Titanic's 'unknown child' identification continues" *website* da Universidade Lakehead, <http://www.lakehead.ca/-eventswww/titanic_release.html> [9 de dezembro de 2004].

Anônimo, 2004, "Scientists identify Titanic's 'unknown child'", *CTVca,* <http://www.ctv.ca/servlet/ArticleNews/story/CTVNews/1036603301117_32012501?snarne=&no_ads> [9 de dezembro de 2004].

Carter, L. 2002, "Titanic's baby victim identified", *website* da BBC News <http://news.bbc.co.uk/1/hi/world/americas/2413895.stm> [9 de dezembro de 2004].

Laydier, K. 2002, "Lakehead lab probes Titanic DNA mystery", *The Chronicle Journal* <http://www.ancientdna.com/jan27-02a.htm> [9 de dezembro de 2004].

Legge, L. 2002, "Experts narrow Titanic mystery", *Halifax Chronicle Herald,* <www.canoe.ca/CNEWSFeaturesO2O2l27titanic-par.html> [9 de dezembro de 2004].

Parr, R. *et al.* "Working towards genetic analysis of an 'unknown child' from the 1912 RMS Titanic disaster", Apresentado na 6ª Conferência Internacional sobre DNA Antigo e Biomoléculas Associadas em Tel-Aviv, Israel, 21-25 de julho de 2002, <http://www.ancientdna.com/Titanic.htm> [9 de dezembro de 2004].

"Titanic's 'unknown child' identified", Universidade Lakehead, 6 de novembro de 2002 [comunicado à imprensa].
Titley K. *et al.* 2004, "The *Titanic* disaster: dentistry's role in the identification of an 'Unknown Child'", *J Can Dent Assoc*, vol. 70, pp. 24-8.

As citações neste capítulo são originárias das seguintes fontes:
p. 200 "Ela de forma alguma lembra a verdadeira grã-duquesa Anastácia..."
p. 204 "Chega dessa história dos Romanov."
p. 211 "prova praticamente além de qualquer dúvida que cinco dos nove esqueletos..."
p. 212 "Só queremos a verdade..."
de: Klier, J. e Mingay, H. 1995, *The quest for Anastasia: solving the mystery of the lost Romanovs*, Smith Gryphon Publishers, Londres
p. 220 "A criança desconhecida agora era conhecida"
de: "Titanic's 'unknown child' identified", Universidade Lakehead, 6 de novembro de 2002 [comunicado à imprensa].

CAPÍTULO 7

A maior parte das informações básicas neste capítulo sobre a vida de Luís XVII e Karl Naundorff foi extraída de duas excelentes biografias:

Cadbury, D. 2002, *The lost king of France: revolution, revenge and the search for Louis XVII*, Fourth Estate, Londres.
Madol, H. R. 1930, *The shadow king: the life of Louis XVII of France and the fortunes of the Naundorff-Bourbon Family*, George Alien & Unwin Ltd, Londres.

As informações básicas extra sobre os acontecimentos da Revolução Francesa foram extraídas do seguinte livro:

Jones, C. 1994, *The Cambridge Illustrated History of France*, Cambridge University Press, Cambridge.

As informações sobre o teste de DNA nos restos mortais de Naundorff e Luís XVII tiveram como principal fonte dois artigos:

Jehaes, E. *et al.* 1998, "Mitochondrial DNA analysis on remains of a putative son of Louis XVI, King of France, and Marie-Antoinette", *European Journal of Human Genetics*, vol. 6, pp. 383-95.

Jehaes, E. *et al.* 2001, "Mitochondrial DNA analysis of the putative heart of Louis XVII, son of Louis XVI and Marie-Antoinette", *European Journal of Human Genetics*, vol. 9, pp. 185-90.

Comunicação telefônica [24 de outubro de 2002] e por *e-mail* [15 de janeiro de 2004, 23 de julho de 2004] com Jean-Jacques Cassiman.

Algumas informações sobre o teste de DNA também foram extraídas de:

Cadbury, D. 2002, *The lost King of France: revolution, revenge and the search for Louis XVII,* Fourth Estate, Londres.

As citações neste capítulo vieram das seguintes fontes:

p. 221 "Tudo aqui é tão feio"

p. 231 "trocado lembranças que seriam..."

p. 232 "Minha mui amada irmã..."

p. 233 "assegurar-lhe da existência de seu ilustre irmão..."

p. 233 "Como servo de seu ilustre pai..."

de: Madol, H. R. 1930, *The shadow king: the life of Louis XVII of France and the fortunes of the Naundorff-Bourbon Family,* George Allen & Unwin Ltd, Londres.

Todas as citações de Jean-Jacques Cassiman são de comunicação telefônica pessoal [24 de outubro de 2002] e por *e-mail* [15 de janeiro de 2004, 23 de julho de 2004].

CONCLUSÃO

As informações sobre o futuro da pesquisa com DNA antigo e todas as citações de Alan Cooper foram extraídas das seguintes entrevistas em rádio e conferência:

Alan Cooper, Apresentação conjunta da Royal Society of New Zealand e da Universidade de Victoria, 15 de abril de 2003 [palestra pública].

Kim Hill com o professor Alan Cooper, National Radio, 12 de abril de 2003, Radio New Zealand Ltd, Wellington [transmissão de rádio].

As informações sobre o futuro da pesquisa com DNA antigo também foram extraídas de uma comunicação por *e-mail* [11 de fevereiro de 2004] com Alan Cooper.

O seguinte artigo foi utilizado como fonte de informações para a conclusão:

Zink, A. R. *et al.* 2002, "Molecular analysis of ancient microbial infections", *FEMS Microbiology Letters*, vol. 213, pp. 141-7.

ÍNDICE

Este livro foi composto na tipologia Minion,
em corpo 11,5/16, e impresso em papel
off-white 80g/m² na Markgraph